まんが　パレスチナ問題

山井教雄

講談社現代新書

1769

目　次

アリとニッシム

ノア：
旧約聖書によれば、神は６日間で天地を創造し、最後に人を造り、７日目は休まれた。
神が造った最初の人間は「アダム（男）とイブ（女）」。ふたりは「エデンの園」という楽園で幸せに暮らしていたんじゃが、ある日、神が食べてはいけないと言った「禁断の木の実（リンゴ）」を食べてしまい、神の怒りに触れて、エデンの園を追い出されてしまったのじゃ。
それでもアダムとイブの子孫は数を増やし、地表を覆った。じゃが、そのあまりの不信心さに再び怒った神は、大洪水を起こして人類を絶滅しようとされたのじゃ。
私がただひとり、たいそう信心深かったので、私と私の家族だけは救おうと思われて、こう命令された。
「ノアよ、大きな箱船を造りなさい。それに、お前の家族とすべての動物をひとつがいずつ乗せるのじゃ」
大洪水は150日続き、箱船はトルコのアララット山に漂着した。
私には３人息子がおって、それぞれ人類の祖先になったのじゃが、長男セムの子孫がセム族……ユダヤ人、アラブ人、パレスチナ人などになったのじゃ。
私の遠い子孫、パレスチナ人とユダヤ人の少年、アリとニッシムに、その後の歴史を説明してもらおう。

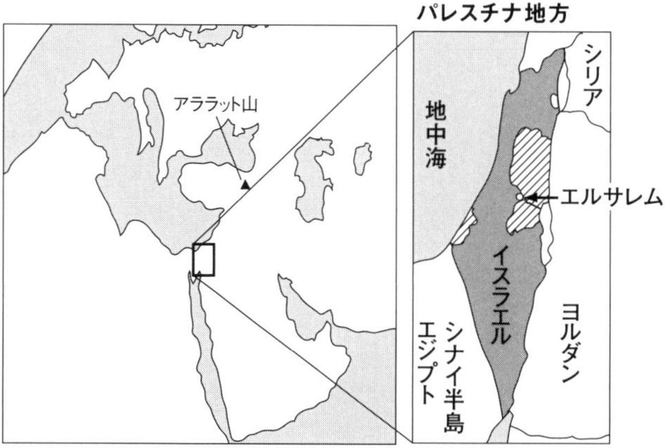
パレスチナ地方
アララット山
地中海
シリア
エルサレム
イスラエル
ヨルダン
シナイ半島
エジプト

ぼくはニッシム。
ユダヤ人でエルサレムに住んでいます。
ぼくはアリ。パレスチナ人で
エルサレムの東のアブディス村に住んでいます。
おれは
エルサレムの
由緒あるのら
ねこニャ。

ユダヤ教

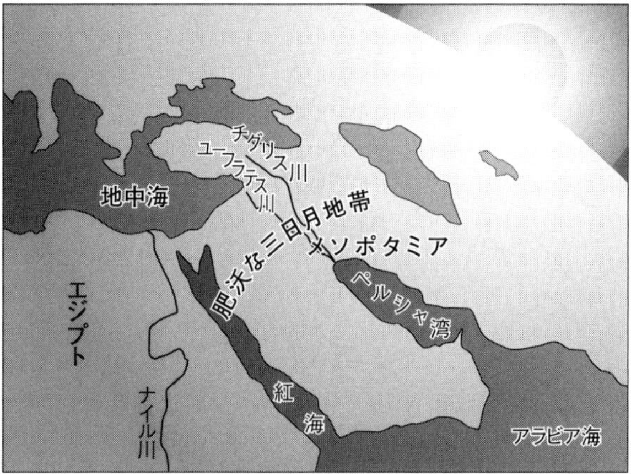

文明の夜明け

エジプトからイランに至る「肥沃な三日月地帯」と呼ばれる地域には、ＢＣ7000年頃に農耕文化が発達し、ＢＣ4000年頃に、ナイル川、チグリス川、ユーフラテス川沿いに高度な文明が発達した。
ユダヤ教、キリスト教、イスラム教の三大宗教も、すべてこの地域で生まれた。

アブラハムよ
カナンへ行け
そなたに与える
カナン
ウル

ペルシャ湾近くのウルに住んでいたユダヤ人の祖先は、ＢＣ19世紀頃カナンの地（今のパレスチナ）を約束するヤハベ（神）の声を聞いたアブラハムに導かれてカナンへやってきました。
神様もおかしなことを約束するね。
その頃は、もうぼくの祖先がカナンに住んでいたんだよ。
ひとの土地を勝手に約束するなんて！
ニャンでだ

神様：
ユダヤ教のヤハベ（エホバ）、キリスト教の神、イスラム教のアラー、みな同一の神様で、何を隠そう、私のことなんじゃ。でも、その頃は小さな部族集団だったユダヤ人の部族神でしかなかったんじゃ。「部族」というのは「民族」より小さい単位で、血がつながっていることを信じている人の集団じゃよ。

その頃は、各部族はそれぞれの部族神を持っていて、その部族神は土地や子孫の繁栄など、現世利益《りやく》を部族に約束するんじゃ。当然、土地をめぐって部族間で争いが起こり、負けた部族やその部族神は滅びるか、勝った部族に統合された。

キリスト教やイスラム教のような世界宗教の神としては、人類全体のことを考えなければいけないんだが、当時のユダヤ教の神としては、自分が選んだ民、ユダヤ人のことだけを考えていればよかったのじゃ。

ニッシム：
ＢＣ17世紀ごろ、飢饉にみまわれて、ユダヤ人はエジプトに避難するんだ。
ユダヤ人達はエジプトで繁栄して、増え続けた。でも、ユダヤ人達はヤハベの神ばかり崇《あが》め、エジプトの宗教や社会になじもうとしなかったんだ。

アリ：それは問題だね。

ニッシム：
それで、怒ったファラオ（古代エジプトの王）はユダヤ人を、奴隷にしちゃった。そうして、都市や神殿の建設にこき使ったんだ。

ニッシム：
400年くらいして、預言者モーゼが現れ、みんなを引き連れてエジプトを脱出し、パレスチナに帰るんだ。60万人以上も脱出させたんだって。

アリ：
その時だろ、海が真っぷたつに割れてユダヤ人だけ通し、追ってきたエジプト軍が通ろうとすると元に戻って、エジプト軍はおぼれ死んじゃうんだよね。

ねこ：
旧約聖書にはそう書いてあるニャ。
モーゼの奇跡が歴史的、考古学的に事実かどうかは疑問だがニャ、民族問題を理解する上でもっと大事なのは、みんなが本当にこの話を信じているっていうことニャのだ。

参考映画：『十戒』
1957年アメリカ
セシル・B・デミル監督

モーゼたちを追跡した、エジプト戦車隊長：
いやー、ビックリしました。
モーゼたちを紅海の海岸に追いつめると、海が真っぷたつに割れてモーゼたちを通し、われわれが追いかけると海は閉じてしまったんですから。
部下はほとんど溺死《できし》しました。いつもナイル川で水泳の訓練をしているんですが、海は波が高くて苦手であります。

それにしても一神教の神はとてつもない奇跡を起こすんですね。
エジプトもギリシャもローマも多神教で、多神教の神々はこんなパワーは持っていません。
エジプトには、1000の神々がいると言われます。エジプト王朝が、各地の部族を征服、統合しても、その部族神たちを抹殺しなかったからです。ファラオはむしろそれを利用して、神々と人間を結ぶ儀式を司《つかさど》る現人神《あらひとがみ》として王権を維持し、征服した部族との融和を図ったのです。
その体制の中で、ヤハベ以外の神々を崇めず、王が現人神であることも認めないユダヤ人は、ファラオにとって、非常にやりにくい、頭が痛い存在だったと思われます。

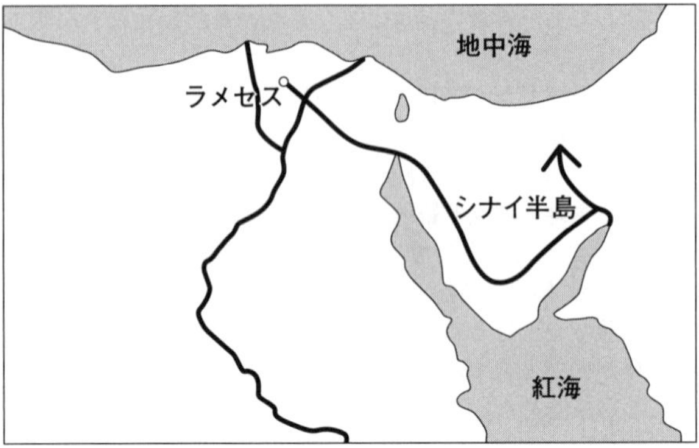

モーゼのエジプト脱出

ニッシム：
紅海を無事に渡ったモーゼは、シナイ半島の山の中で、神から２枚の石の板に刻まれた「十戒」を授かります。

モーゼ：
十戒とは
① 神はひとつである。
② 偶像を崇拝してはいけない。
③ 神の名をみだりに唱えてはいけない。
④ 安息日を守れ。
⑤ 父母を敬愛せよ。
⑥ 人を殺すな。
⑦ 姦淫するな。
⑧ 盗むな。
⑨ 偽証するな。
⑩ 貪欲《どんよく》になるな。

の10の決まりの
ことです。

アリ：
でも、どうして神様は水や食料とかじゃなくて「十戒」なんて決まりをくれたの？

モーゼ：
私たちがエジプトにいる間に、カナンの地はすっかりカナン人やペリシテ人の土地になっていました。今のパレスチナという土地の名前は、このペリシテ人に由来します。
ですから、私たちが再びパレスチナを手に入れるまでに40年もかかり、その間、シナイの砂漠を放浪しなければなりませんでした。
そんな厳しい状況の中で、ユダヤ民族がバラバラにならないためには、強い信仰心と規律が必要だと神はお考えになったのでしょう。
もちろん、私たちが飢えた時はパンを、渇いた時は水をくださいました。

ソロモン王

ニッシム：
砂漠での放浪生活は、ユダヤ人を本当に鍛え上げ団結させたんだ。
ＢＣ1000年頃、サウルという王様が出て、一応イスラエル王国が成立する。
でも、本当のイスラエル統一王国といえるようになるのは２代目の王、ダビデからで、ダビデはペリシテ人を破り、イスラエルを統一すると、エブス人からエルサレムを奪い首都としたんだ。その息子のソロモン王がエルサレムにこの神殿を造ったんだ。

ねこ：
ソロモン王は税を重くして、 宮殿や神殿を造ったり、大規模な土木工事をするものだから、民衆は大変だったんニャ。その不満が、イスラエル王国が後に分裂する原因になったニョだ。

ニッシム：
ソロモン王が死ぬと、ダビデの王国は南北に分かれちゃう。
北のイスラエル王国はＢＣ721年にアッシリアに滅ぼされ、南のユダ王国はＢＣ586年にネブカドネザル２世の新バビロニアに滅ぼされ、ユダヤ人は捕虜としてバビロンに連れて行かれちゃうんだ。
これをバビロン捕囚っていうんだよ。

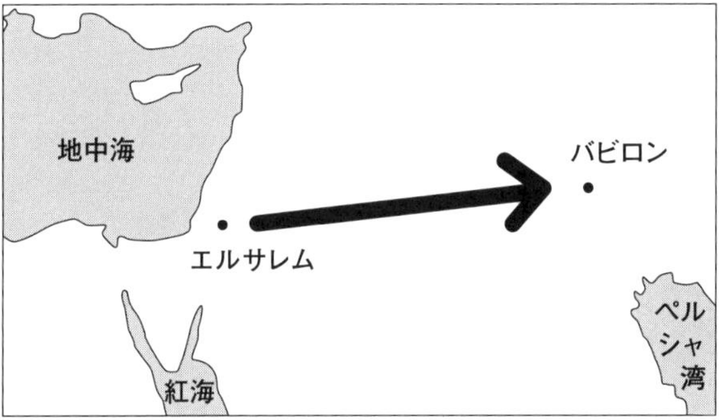
地中海
バビロン
エルサレム
紅海
ペルシャ湾

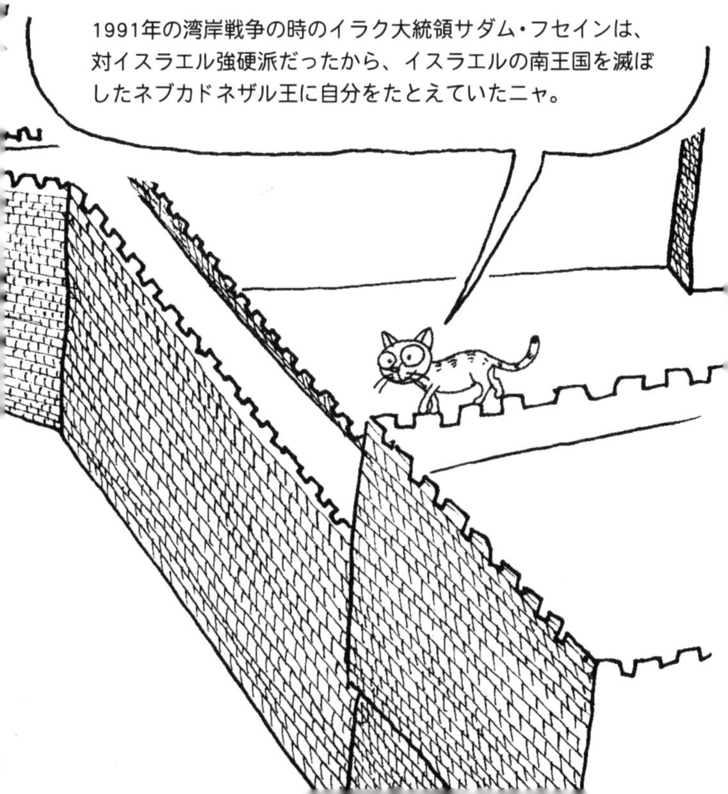
1991年の湾岸戦争の時のイラク大統領サダム・フセインは、対イスラエル強硬派だったから、イスラエルの南王国を滅ぼしたネブカドネザル王に自分をたとえていたニャ。

アリ：
エジプトに行ったり、バビロンに連れて行かれたり、ユダヤ人もなかなかパレスチナに落ちつけないね。

ニッシム：
それから約50年後、新バビロニアがペルシャに滅ぼされると、やっとユダヤ人はパレスチナに帰ることを許される。BC538年のことだよ。
ユダヤ人はバビロンに捕らわれていた間に、旧約聖書を完成させるんだ。

ねこ：
ペルシャに征服されてもバビロンはとっても栄えた街だったし、ユダヤ人も繁栄していたんニャ。
だからパレスチナに帰ることを許されても、バビロンに残ったユダヤ人は大勢いた。
でも、旧約聖書があったから、彼らはずーっとユダヤ人としての意識を持ち続けられたんニャ。

キリスト教

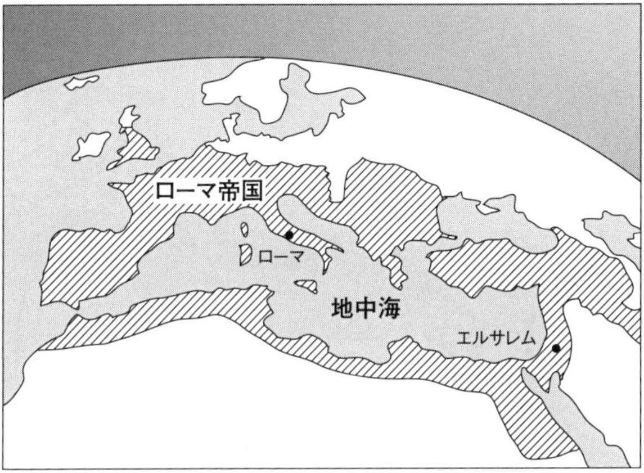

2世紀はじめのローマ帝国

古代ローマ帝国の支配下にあったパレスチナに、BC 6年頃、イエス・キリストが生まれ、各地に教えを広めていった。イエスはユダヤ教の指導者たちの反感をかい、最期に十字架にはりつけにされるが、その後も彼の弟子たちにより、教えが広められる。
AD117年、ローマ帝国の版図《はんと》はその最大域に達する。域内に急速な発展を続けるキリスト教は迫害され続けたが、さらに勢力を拡大し、392年、ついにローマ帝国の国教となる。

アレキサンダー大王（アレキサンドロス３世）
ＢＣ356～ＢＣ323
マケドニア
黒海
地中海
バビロン
アレキサンドリア
エジプト
紅海

ニッシム：
BC 4世紀にギリシャのマケドニアにアレキサンダー大王が現れ、ＢＣ334年から死ぬまでの11年間に、ギリシャ、エジプトからパキスタンまで征服するんだ。

アレキサンダーの将軍、プトレマイオス（後、エジプト王プトレマイオス１世）：
アレキサンダーとは幼なじみで、アリストテレスを家庭教師に一緒に学んだ仲なんだ。

プトレマイオス１世
ＢＣ367頃〜ＢＣ283

われわれはギリシャを平定すると、３万5000人の兵隊を連れて、ペルシャをやっつけに出かけた。行く先々でアレキサンダーは神のごとく戦い、各地で神と崇められ、トルコ、エジプトからパキスタンまで征服してしまった。
アレキサンダーが遠征した目的は、権力欲と領土欲だけじゃなかった。ヘレニズム文化（アレキサンダー以降のギリシャ文化）の普及と民族融和だった。兵隊と一緒に学者やアーチストを連れて行って、各地にギリシャ風の都市アレキサンドリアを建設して文化の中心としたんだ。
行政官にペルシャ人を任用したり、自らも将兵とともにペルシャ女性と集団結婚したりして、民族を越えた東西の融和を図ったんだ。
それで、それまでのポリス（都市国家）や民族の単位を越える「コスモポリス（世界国家）」の思想が生まれ、ギリシャ語が国際語になった。
残念ながら、彼の雄大な野望に比べ、彼の人生はあまりにも短かった（32歳で死亡）。

ニッシム：
ＢＣ323年にアレキサンダー大王が32歳の若さで死ぬと、アレキサンダーの帝国は複数に分裂して、そのひとつ、プトレマイオス朝のエジプトに、パレスチナは併合されるんだ。

ねこ：
プトレマイオスがエジプト王になると、アレキサンダー大王の理想を受け継いで、文化の発展や融合に力を注いだ。
首都アレキサンドリアに世界最大の図書館を造ったりして、ヘレニズム文化の中心にしたんニャ。
自分はギリシャ人なのに、伝統的なファラオの衣装を着ていたし、各地にエジプトの神々を祭る神殿を建て、エジプト人との融和に努めた。
エジプト文化や社会に溶け込めなかったユダヤ人と大違いニャのだ。

ギリシャ人もエジプト人も多神教。かたくなな一神教のユダヤ人と違って、多神教の人々は、他宗教を信じる民族と出会っても、神々の数をちょっと増やすか、両方の神を習合すれば、平和に共存できるニョだ。
彼らもギリシャとエジプトの神を合わせた「セラピス神」という新しい神を造りだしたんニャ。

ニッシム：
プトレマイオス朝の最後の王様って、誰だか知ってる？

クレオパトラ７世　ＢＣ69〜ＢＣ30
参考映画：『クレオパトラ』1963年アメリカ　エリザベス・テーラー主演

アリ：
クレオパトラでしょ。
学校で習ったもん。
絶世の美女なんだよね。

ニッシム：
頭もすっごく良くて、何ヵ国語も話せたんだって。
そのクレオパトラ７世がエジプトを統治していた頃、ローマでは将軍カエサルが独裁者になって、強大な国になるんだ。
クレオパトラはカエサルの愛人になったり、カエサルが暗殺されてからは、カエサルの武将、アントニウスと組んで、何とかエジプトの独立を守っていたんだけど、ＢＣ31年、ローマ軍との戦いに敗れて、ローマに併合されちゃう。
クレオパトラも、毒蛇に胸を咬《か》ませて自殺しちゃうんだ。

アリ：
そのころでしょ、
イエス・キリストが生まれるの。

ニッシム：
そう、ＢＣ６年頃に、パレスチナのベツレヘムで生まれるの。

ニッシム：
星に導かれて、東方の三博士がキリストの誕生を祝って、贈り物をもってラクダでやってくる。
これが、クリスマスプレゼントの始まりなんだって。
もちろん、ユダヤ人はクリスマスは祝わないし、子供もプレゼントなんてもらわないよ。

アリ：
うちでもやらないよ。

ねこ：
当時、パレスチナはローマ帝国の属国で、ユダヤ王のヘロデが統治をまかされていた。すごく疑り深い王様で、自分の奥さんや子供まで殺したりしたけど、一方で土木工事に熱心で、マサダの砦《とりで》を造ったり、神殿も再建したんニャ。ヘロデ王の神殿の一部は今でもエルサレムに残っていて、「嘆きの壁」と呼ばれて、ユダヤ教第一の聖地になっているニョだ。
ヘロデ王は「ユダヤの王となる子（キリスト）が生まれた」と聞いて、自分の地位が脅かされると思って、ベツレヘムの２歳以下の男の子を皆殺しにするように命じた。
ヨセフとマリア（イエスの父と母）は天使のお告げを聞いて、イエスを連れてエジプトに逃げて難を逃れたニョだ。

イエスはイスラム教でも預言者のひとりとされているニョだ。
イスラム圏にあっても、比較的キリスト教徒が多い国、ヨルダン、レバノン、シリアではクリスマスは国民の休日で、イスラム教徒の家庭でも、子供や友人にプレゼントするところもあるニョだ。

アリ：
パレスチナで生まれたんだったら、イエス・キリストはパレスチナ人なんだ。
パレスチナで生まれ育った人、住んでる人は、イスラム教徒でもキリスト教徒でもユダヤ教徒でも、パレスチナ人なんだもんね。

ニッシム：
そうだよ。
でも、お母さんのマリアがユダヤ人だからユダヤ人でもあるんだ。
「ユダヤ人」っていうのは宗教から見た見方だから、ユダヤ教を信じてる人や、ユダヤ人のお母さんから生まれた人は、どんな人種でも、どこに住んでいても、ユダヤ人なんだ。

だから、今じゃ黒人のユダヤ人も、白人のユダヤ人も、アジア系のユダヤ人もいるんだ。

ユダヤ人て
人種じゃニ
ャイのだ！

ニッシム：
イエスも最初の弟子たちも、みんなユダヤ人でユダヤ教徒だったんだよ。
だから、イエスはユダヤ教を否定してキリスト教を作ったんじゃなくて、自分が正しいと信じている基本に返ったユダヤ教をユダヤ人に説いたんだ。

参考映画：
『ライフ・オブ・ブライアン』
1979年イギリス
テリー・ジョーンズ監督

パレスチナは、プトレマイオス朝エジプトの後は、セレウコス朝シリアに支配された。一時期はユダヤ人の王国を築いたけれど（マカベア王朝、ＢＣ142〜ＢＣ63）、イエスが生まれた頃はローマの属国、そのヘロデ王がＢＣ４年に死ぬと、ローマ帝国の属州になった。
ユダヤ人たちは、「外国の支配が続き、自分たちがこんなに苦しんでいるのに、なんで神は助けてくれないのだろうか？……きっと、神から与えられた決まり（律法）をキチッと守っていないからだ」と考えたんだ。
それで、旧約聖書にある律法の解釈を厳密にして、日常生活の細々したことまで規定するようになった。
律法がどんどん複雑になって、神がなんでそんな決まりを与えたのかまでわからなくなる。律法学者が力を持ってえらそうに振る舞う。そんな風潮をおかしいと思ったイエスは、「そんなに律法ばかりにこだわらずに、もっと神を信じなさい。神の愛を信じなさい」と説いたんだ。

アリ：
でも、十字架にはりつけにされて、死んじゃうんだよね。

ニッシム：
イエスはモーゼの教えや律法を軽視したし、自分を神の子と言ったり、弟子たちもイエスを「メシア」と信じていたので、ほかのユダヤ教の指導者たちには我慢ならなかったんだ。
それで神を冒瀆《ぼうとく》した罪で訴えられ、はりつけにされちゃう。実際には、ローマに対する反逆罪でイエスに死刑を言い渡したのも、処刑したのも、パレスチナを統治していたローマ人なんだけど、それ以来、ユダヤ人はキリストを殺した民族として世界中のキリスト教徒から憎まれることになるんだ。

ねこ：
メシアってのはヤハベの神によって約束された、ユダヤ人を救う理想的な王、「救世主」のことニャのだ。

アリ：
どうして同じ一神教でも、キリスト教はローマ帝国の国教にまでなったのに、ユダヤ教は広まらなかったんだろう？

ニッシム：
ユダヤ教には選民意識というのがある。つまり、ユダヤ人はヤハベに選ばれた民族で、「教えをきちっと守れば、繁栄を約束しよう」という契約を神と交わした民族だという意識なんだ。
反対に言えば、ユダヤ人じゃなければヤハベの恵みは受けられない。
キリスト教もはじめはユダヤ教の一派としてユダヤ人に布教していた。
でも、イエスが亡くなった後、イエスの教えをユダヤ民族だけにとどめておくのはもったいないと、イエスの弟子のひとり、パウロは考えたんだ。

ねこ：
「割礼《かつれい》」も大きな障害だった。
割礼っていうのは、ユダヤ教に改宗した男が、神と契約した印にオチンチンの先っぽの皮をチョン切られる儀式のことニャ（もちろん女にはしない）。普通は生後８日目の男の赤ちゃんにするニョだが、大人になってから改宗した人は大変ニャ。ローマ人はすごく割礼を嫌って、何度も割礼禁止令を出してるニョだ。

昔は
衛生のため
だった
ニョだ

パウロの弟子：

聖パウロはユダヤ人で、熱心なユダヤ教徒でしたが、パレスチナには住んでいませんでした。トルコのタルスス生まれで、ローマの市民権を持っていました。

当時、ギリシャ、パレスチナ、メソポタミア、エジプトからペルシャまで、アレキサンダー大王が征服した国々は、広大なヘレニズム文化圏を形成していました。そこには、国や民族にこだわらず、もっと広い国際的視野に立って、ものを考えられる人が大勢いました。聖パウロもそのひとりで、ヘレニズム世界の共通語であるギリシャ語を流暢《りゅうちょう》に話せました。

ある日、イエス・キリストの声を聞いて、イエス・キリストの教えをユダヤ人以外の異邦人に布教するのを使命と考え、得意のギリシャ語でシリア、トルコ、ギリシャ、ローマで布教活動をしました。

他民族に布教するとなると、キリスト教も変わる必要がありました。ユダヤ民族の利益だけ考える民族宗教の一宗派から、すべての人々に恵みと救済を与える宗教にならざるをえません。そこで、ユダヤ教の一派と考えられていたキリスト教に改宗しても、ユダヤ人にならなくてもよいことにし、割礼をはじめユダヤ人なら守らなくてはいけない、宗教上、生活上の細々した決まりから解放しました。

キリスト教が、ユダヤ教の一派としてでなく、ひとつの独立した宗教として認知されたのもこの頃です。

ユダヤ人以外の外国人に布教することによってキリスト教は完成し、国際宗教として結実したのです。アレキサンダー大王が耕した土地に。
その後、イエスや聖パウロをはじめとする弟子たちの言行をまとめて刊行された新約聖書も当時のギリシャ語で書かれていたのです。

聖パウロ　?～ＡＤ62

ニッシム：
当時パレスチナはローマから派遣されたユダヤ総督によって治められていたんだ。その総督の圧政とローマ多神教の押しつけに反発して、ユダヤ人は２度反乱を起こす。ユダヤ戦争（AD66～70）と、バル・コホバ蜂起（AD132～135）だ。勢力が最大だった当時のローマ帝国と戦うってことは、今のアメリカと戦争するようなもので、勝つ見込みのない、絶望的な戦いだった。
135年に最終的に鎮圧されるんだけれど、エルサレムにユダヤ神殿が建っている限り、反乱はおさまらないと考えられたものだから、ヘロデ王が再建した神殿は、ほぼ完全に壊されて、火がつけられた。いまだに神殿は再建されていないんだよ。
戦争後はユダヤ人はエルサレム立入禁止になり、ローマに奴隷として売り飛ばされちゃった人も大勢いる。それで、パレスチナにはユダヤ人はほとんどいなくなっちゃうんだ。
これがユダヤ人の長い長いディアスポラ（離散）の始まり。
1948年のイスラエル建国まで、ユダヤ人は自分の国を持ったことがない。ある国で迫害されるとほかの国に逃げ出すという、迫害と放浪の生活を2000年近くも送ったんだ。

アリ：
神殿も燃やされちゃうし、パレスチナから追い出されたユダヤ人はユダヤ教徒じゃなくなっちゃうの？

ニッシム：
ローマ帝国各地や中東に散らばったユダヤ人は、旧約聖書を当時の国際語のギリシャ語に訳したり、共通の暦「ユダヤ暦」を作ったり、「シナゴーグ」と呼ばれるユダヤ教の教会を建てて、どこにいてもユダヤ教の教えを実践できるようにした。
それから、ギリシャ人やローマ人は昔から多神教で偶像を崇拝するから、彼らとはあまり交わらずに、ユダヤ人同士でまとまって生活して、ユダヤ教の教えを守ったんだ。

アリ：
ローマに入っては、ローマ人に従え（郷に入っては、郷に従え）じゃなかったんだ。ローマ人と仲良くしないで、ユダヤ人だけで固まって、ユダヤの習慣を守って生活したら、憎まれちゃうね。

ニッシム：
そうなんだ。
それに、キリスト教がローマに入ってきて、ユダヤ教とは違う宗教だって示すために、盛んにユダヤ教を攻撃した。その時、「ユダヤ人は、せっかくこの世に現れた救世主、イエス・キリストを殺しちゃった罪人なんだ」って宣伝したんだ。本当はローマ人が殺したのにね。それ以来、キリスト教徒はユダヤ人を憎むようになったんだ。

イスラム教

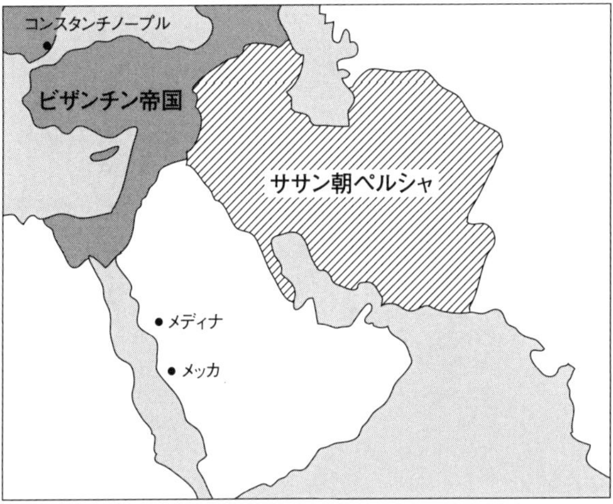

7世紀の中東

イスラム教の創始者、モハメッド（ムハンマド）は６世紀末にアラビアのメッカに生まれる。当時のメッカは交易ルートの中継点で、原始偶像崇拝の神を祭るカーバ神殿の門前町だった。
モハメッドは610年に神（アラー）から啓示を受け、イスラム教を布教し始める。

ラシード・アッディーン『集史』の挿し絵
イスラム教は偶像崇拝を固く禁じているので
普通、神やモハメッドの絵は描かない

アリ：
６世紀の終わり頃、モハメッドはアラビアで大きな隊商を率いる豊かな商人だった。
中年になって、人生の意味や、人々の不幸について思い悩んでは、ヒラーの山の洞窟にこもって瞑想していたんだ。
ある日、彼の目の前に大天使ガブリエルが現れて、神（アラー）の啓示を与えたんだ。

15世紀のイタリアの画家、フラ・アンジェリコが描いた
『受胎告知　聖母マリアと天使ガブリエル』

ニッシム：
大天使ガブリエルって、マリアに神の子キリストを受胎したことを伝えた天使じゃない？

アリ：
そうだよ、イスラム教はユダヤ教やキリスト教の影響をいっぱい受けているんだ。

三宗教の共通点と相違点

	ユダヤ教	キリスト教	イスラム教
神	同一（セム語族一神教）		
神の名	ヤハベ（エホバ）		アラー
天使と悪魔	両方いる		
預言者＊	アブラハム モーゼ イザヤ ダビデ など	アブラハム モーゼ ヨハネ など	アブラハム モーゼ イエス モハメッド など
聖都	エルサレム	エルサレム	メッカ メディナ エルサレム
聖典	旧約聖書	旧約聖書 新約聖書 ｝＊	旧約聖書 新約聖書 コーラン
神話	唯一神による天地創造 アダムとイブ ノアの箱船 モーゼのエジプト脱出など 旧約聖書の神話は共通		
終末観	この世の終わりには 死者も蘇り 最後の審判を受ける 善人は天国へ 悪人は地獄へ堕ちる		

＊「預言者」とは、神の言葉を預かる人で、未来を予言する「予言者」ではない。例えばノストラダムスは予言者である。

＊旧約・新約というのは、キリスト教での呼び方。モーゼを通じて神とユダヤ人との間に結ばれた関係が旧約（旧《ふる》い契約）であり、イエスにより新たに結ばれた関係が新約（新しい契約）であるとする。

	ユダヤ教	キリスト教	イスラム教
礼拝集会場	シナゴーグ	教会	モスク
安息日	週1日（土）	週1日（日）	週1日（金）
偶像崇拝	禁止	禁止 カトリック、 正教は可	禁止
割礼	する	しない	する
食事規則 豚 酒	厳しい 食べない 飲む	ゆるやか 食べる 飲む	厳しい 食べない 禁酒

アリ：
仏教やほかの多神教と比べてみると、この３つの宗教は考え方がそっくりでまるでひとつの宗教みたいだね。

ニッシム：
神による天地創造からこの世の終わり、最後の審判までの歴史の見方や天国、地獄、善悪の考え方も一緒だよ。
イスラム教でも割礼するんだね。

ねこ：
同じ神が話したことを基にした宗教だから、似ていて当たり前だニャ。
ローマ世界に広まったカトリックは、キリストの絵でも彫刻でもなんでも作る。ギリシャ世界に広まったキリスト教、正教もイコン（聖画）やモザイク画を作る。具象的なギリシャ、ローマ人に偶像崇拝を禁じるのは難しいニャ。

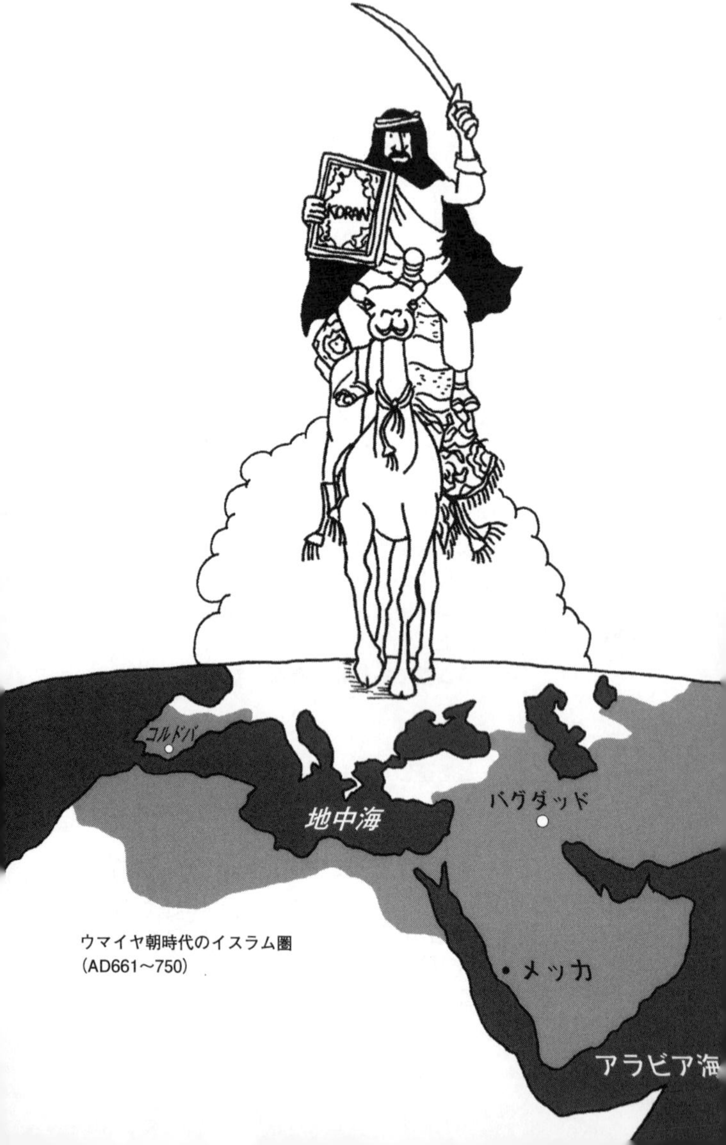
KORAN
コルドバ
地中海
バグダッド
メッカ
アラビア海

ウマイヤ朝時代のイスラム圏
（AD661～750）

アリ：
モハメッドもその後継者（カリフ）たちも軍事的に才能があったから、イスラムは西アジア、北アフリカ、スペインまで征服した。

ニッシム：
征服するときは、「右手にコーラン、左手に剣」を持ってキリスト教徒やユダヤ教徒に改宗をせまったんだよね。

アリ：
それは偏見。
イスラム教は旧約聖書や新約聖書も教典として認めているから、同じ「啓典の民」としてユダヤ教徒もキリスト教徒も敬意を払われていたんだ。だから中世のイスラム諸国では、税金を払えば、ユダヤ人もキリスト教徒も、改宗をせまられることなくイスラム教徒と平和に共存できたんだ。

スペイン・イスラム王国（後ウマイヤ朝）国王、アブドゥル・ラフマン３世（AD889～961）：
私の時代に、コルドバはコンスタンチノープル、バグダッドと並んで、世界の文化、経済の中心になったのだが、その裏にはユダヤ人の大いなる貢献があった。私は王国内のユダヤ教徒やカトリック教徒に、特にイスラム教への改宗はせまらなかった。それで、国民の60％は「モサラベ」と呼ばれる異教徒だった。人頭税さえ払えば、信仰の自由も職業の自由も保障した。この自由な空気がコルドバに繁栄をもたらしたのだ。

コルドバのメスキータ
アブドゥル・ラフマン１世の時にモスクとして建てられたが、現在はカトリックの大聖堂になっている。

カトリック教徒の農民や奴隷の中に、自由民になるために自ら進んでイスラムに改宗した者は、この国にもいる。
イスラムに改宗するのはすこぶる簡単なのだ。「アラー以外に神はなく、モハメッドはアラーの使徒である」とアラビア語で唱えるだけでよい。これをシャハーダという。イスラム教徒としての日々のつとめも、さほど難しくない。
しかし、ギリシャ・ローマの具象文化を引き継いだカトリック教会で、キリストやマリアの絵や像に囲まれて祈ることに慣れた者が、まったく像がなく、信仰の対象が見えないモスク(イスラム教の礼拝場)で心から礼拝するのは難しいだろう。アリ、何もない空間でイスラム教徒はどうやって礼拝するか、教えてあげなさい。

アリ：
モスクに入る時は靴を脱いで、女の人はスカーフなんかで髪を隠します。
モスクの壁にはミフラーブと呼ばれるくぼみがあって、メッカの方向を示しています。
それに向かって礼拝するの。

外で礼拝するときは、水があれば水、なければ砂で体を清めます。

メッカの方向がわからないところでは、まず磁石でメッカの方向を確認して

メッカの方向へ礼拝用ジュウタンを敷きます。

これが礼拝のワンセット。数セットずつ、夜明け、正午、午後、日没、夜半と、１日に５回礼拝します。
１日５回はちょっと多いけど、これだけやらないと人間はすぐ神のことを忘れちゃうんだって。

ねこ：
イスラム教の聖典を「コーラン」というんニャ。天使ガブリエルがモハメッドに伝えた神（アラー）の言葉を本にしたものだニャ。
アラーも天使もアラビア語で話したので、コーランはアラビア語で書かれている。他の言語に翻訳されたものは、単なる注釈書と考えられ、「コーラン」とは呼ばれニャイ。イスラム教徒は、アラブ人でなくともアラビア語でコーランを学び、アラビア語で礼拝するニョだ。
「コーラン」は、旧約聖書と同じ神が語ったことだから、アダムとイブ、ノアの箱船、モーゼのエジプト脱出など、神話部分はほとんど同じ話だニャ。
ユダヤ教の神も、キリスト教の神も、アラビア語では「アラー」と呼ばれる。同じ神だものニャ。

イスラム教徒の義務は次の５つ。
①信仰告白（シャハーダ）
「アラー以外に神はなく、モハメッドはアラーの使徒である」と唱えることだニャ。
②礼拝（サラート）
③喜捨（ザカート）
貧しい人のために金品を寄付することだニャ。
④断食（サウム）
イスラム暦の９月（ラマダーン）に１ヵ月間断食する。夜明けから日没まで、食べたり、飲んだりしちゃいけニャイのだ。
⑤メッカ巡礼（ハッジ）
一生に１度、健康で、経済的にゆとりのある人は、メッカにお参りに行くニョだ。

十字軍

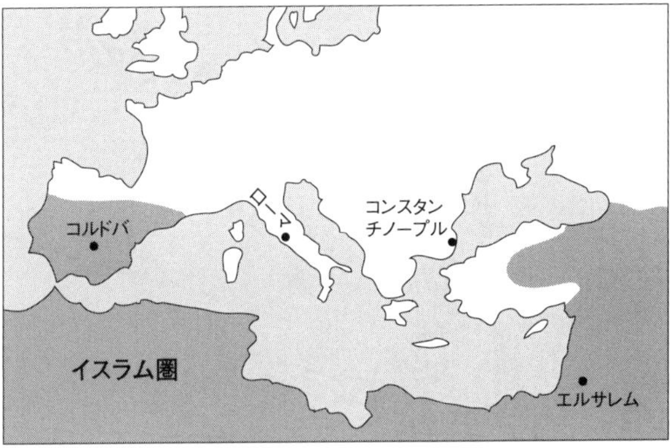

11世紀のヨーロッパと中東

イスラム諸国に中東を押さえられたヨーロッパ諸国は、十字軍を派遣してエルサレム奪回を図る。
また、陸路によるアジア貿易をイスラムに独占されていたので、アジアに至る海路を開拓しようとする。その試みが15世紀からの大航海時代を呼び、コロンブスのアメリカ到達につながる。

エルサレムを異教徒から取り戻せ！

アリ：
エルサレムも638年以降、イスラム教の支配下に入ったけれど、キリスト教徒の巡礼や礼拝は許されていたの。それなのに、ローマ法王はキリスト教徒の巡礼が迫害されていると言って、十字軍を結成して、異教徒の手からエルサレムを取り返せと呼びかけたんだ。
十字軍は1096年から始まって全部で７回、２世紀もの間続いた。結局、一時的にエルサレムを占領するだけで失敗するんだけれど、十字軍の異教徒に対する戦いは無慈悲で、エルサレムを攻撃した時には４万人もの市民を殺したんだ。

キリスト様のお墓は、不浄な異教徒たちによって占拠されている。不潔な異教徒から聖地を取り戻すのじゃ！
ローマ法王
ウルバヌス２世
(1042〜1099)

ニッシム：
十字軍までの戦争って、王とか皇帝が領土獲得か、勢力拡大のためにやったよね。ところが「十字軍」はキリスト教世界のトップ、ローマ法王が神の名において始めた「正義と悪、聖と汚れ」の戦いなんだ。汚れた異教徒……イスラム教徒やユダヤ教徒は「悪」だから、殺せば殺すほど神は喜ぶんだって。それで、異教徒を殺した罪は許され、戦死したキリスト教徒は天国に召されるっていうんだ。異教徒と共存したり、和平協定を結ぼうなんて考えは、はじめからないんだ。異教徒と交わると汚れちゃうと思ってるからね。

アリ：
エルサレムではキリスト教徒の巡礼や礼拝は許されていたから、本当は戦争をする理由なんてなかったんだ。それなのに十字軍はエルサレムを攻撃して陥落させると、イスラム教徒やユダヤ教徒の大虐殺をやる。「浄化」のためにね。
今でもキリスト教徒にとって「十字軍」は「正義の戦い」を表すみたいだけど、僕たちイスラム教徒にとっては「理不尽で無慈悲な暴力」の記憶でしかない。それなのに、ブッシュ（米大統領・息子）は2001年の9.11同時多発テロ事件の後、「テロに対する十字軍」なんて無神経に言うんだ。イスラム教徒は神経を逆なでされた気分になるよ。

ニッシム：
十字軍の時代に、異教徒のユダヤ人は汚れだから浄化しようという「反ユダヤ主義」がヨーロッパに定着する。
教会が、キリスト教徒がユダヤ人と交わることを禁止したんだ。ユダヤ人たちは、ひと目でユダヤ人とわかる服を着せられ、色々な職業から閉め出され、ゲットー（ユダヤ人居住区）に隔離された。ユダヤ人差別がキリスト教社会で制度化されちゃったんだ。

異教徒は不浄だとか
不潔だとか言ったって
同じ神を信じてる
人たちニャンだぜ

シェークスピア作『ベニスの商人』に出てくる金貸しシャイロック：
中世キリスト教国では、ユダヤ人は土地を持つことはできませんでした。色々な職業も禁止されていたし、住居の自由もなく、ゲットーと呼ばれる地区に隔離されて住まわされていました。キリスト教でもイスラム教でも、利子をとって人にお金を貸すことを堅く禁じていましたので、金貸しと質屋がユダヤ人の主な職業になっていました。

別に、好んで金貸しになった訳でもないし、暴利（特別高い利子）を貪《むさぼ》ったこともありません。でも、それでなくとも差別されたり迫害されたりするユダヤ人が、金貸しになどなったら、キリスト教徒からどんな仕打ちを受けるか想像してみてください。しょっちゅう借金を踏み倒され、ある時は殺され、ある時は国外追放になり、財産を没収されました。
『ベニスの商人』も哀れなユダヤ人の金貸し、つまりわたくしが、グルになったキリスト教徒に借金を踏み倒される「悲劇」ですが、これが「喜劇」として16世紀以来現代まで、ずっと大衆に大うけしているというのは、「反ユダヤ主義」の根深さを証明しています。
カネに貪欲《どんよく》なユダヤ人のイメージをでっち上げて、世界中に広げ、「反ユダヤ主義」を助長した罪で、ここにシェークスピアを告発します。

ニッシム：
スペインには昔から大勢ユダヤ人が住んでいたの。
イスラム教徒やキリスト教徒とも仲良く文化的に暮らしていたんだけれど、十字軍に影響されて、カトリックのレコンキスタ（国土回復運動）が起こり、1492年に最後のイスラム王国がカトリック王国に滅ぼされる。
これがグラナダにある、イスラム王国最後のお城「アルハンブラ宮殿」だよ。

アリ：
イスラムのお城ってカッコイー！

ニッシム：
1492年にカトリック王国が成立すると、ユダヤ人は、カトリックへ改宗するか、スペインを出ていくか、どちらかを選ばされた。
貧しいユダヤ人はスペインを出ていくのを選んだけれど、金持ちのユダヤ人は財産をたくさん持っていたのでカトリックに改宗してスペインに残るのを選んだ。改宗したユダヤ人は「マラーノ（豚）」と呼ばれ、本心から改宗していないんじゃないかと、いつも疑いの目で見られた。何かあるとすぐ密告され、裁判（異端審問）にかけられ、拷問され、嘘の自白を強要され、火あぶりの刑にかけられるか、国外追放にされた……。どっちの場合も財産は没収されて。
だって、そもそもそれが目的だったんだ。没収した財産はカトリック教会と裁判官が山分けにしたんだ。
スペインだけで３万人も火あぶりにされたんだって。

ベルゲーテ作『異端者の火刑を取り仕切る聖ドミニクス』（プラド美術館）

アメリカ
キューバ

アリ：
コロンブスがアメリカに到達するのも1492年じゃない？

ニッシム：
そう、コロンブスが到達したアメリカへ逃げ出したユダヤ人もいた。
ひょっとするとコロンブスも、カトリックに改宗したユダヤ人じゃないかという説もある。
ディアスポラのユダヤ人に新天地を与えた「メシア」じゃないかっていうね。

コロンブス：
私はユダヤ人じゃないよ。ジェノバ人。
アメリカに出航する時はイスラムとカトリックの戦いの真っ最中。スペインのイザベル１世とフェルナンド５世を説得するのに、敬虔《けいけん》なカトリックだったのが有利だったナ。それで、私がアメリカを発見できたのは神のお導きじゃないかと言われてるんですがね、私を導いたのは、ホントは「カミ」じゃなくて「カネ」だったの。たったの１字違いだけど大違い。
ガイドブックは『聖書』じゃなくてマルコ・ポーロの『東方見聞録』でしたね。
自分のためにも、出資者のためにも「金《きん》」が欲しかったね。そのためには何としてもマルコ・ポーロが「黄金の国」と書いたジパング（日本）にたどりつかなきゃいけなかったのヨ。

クリストファー・コロンブス
（1451頃～1506）

航海の途中、あまりにも陸地が見つからないんで反乱を起こしそうになった船員を説得できたのもジパングのおかげ。
「ジパングにたどりつきさえすりゃ金は拾いほうだい。道ばたにいくらでも落ちてるんだ」ってね。これは効きましたよ。
私は、最後まであそこはアジアだと思ってたのヨ。必死になってジパング探しましたよ。でも、私が見つけた中米の島々はジパングじゃなかった。金もあんまりなかった。
キューバなんか発見しても急場しのぎにもならなかった。
おかげで、地位も、名声も、財産も失っちゃったよ。
どうしてくれんのジパング！

参考：
18世紀のエッチング

ニッシム：
16世紀のヨーロッパでは、旧来のキリスト教（カトリック）を批判するプロテスタントが起こって、宗教改革が始まっていた。カトリック側も勢力を盛り返そうと、スペインやポルトガルの海軍力を背景に、中南米やアジアに布教に出かけた。カトリックへの教化と植民地化がセットになっていたんだ。

アリ：
中南米じゃコンキスタドール（スペイン人征服者）たちがヒドいことをするんだろ？
先住民（コロンブスの到達以前に中南米に住んでいた人々）をキリスト教に教化するという口実で戦争をしかけ、大勢殺し、略奪し、奴隷にした。
まるで、十字軍みたいじゃないか。

ニッシム：
日本にも、フランシスコ・ザビエルが1549年にキリスト教を布教しに行くんだけど、豊臣秀吉は1587年にキリスト教を禁止して、宣教師を追放するんだ。江戸幕府は1641年に鎖国しちゃう。

アリ：
キリスト教が入ってくるのを防ぐため？

フランシスコ・ザビエル
(1506〜1552)

ねこ：
宗教って、伝染病みたいなものだニャ。
一神教は中東の風土病ニャのだ。普通は地続きで感染していくんだけれど、大航海時代になって、ザビエルみたいな強力なキャリアー（病原菌を持った人）が船で旅行すると、あっちこっちで患者が出るんニャ。先住民の虐殺だ、殉教だって、死ぬ人も大勢出る（ザビエルはインドで大勢のユダヤ人を異端裁判で火あぶりにしたんニャ）。
風土病だったのが、世界病にニャってしまうのだ。
流行を止めるには、港を封鎖して、国を閉じるしかニャい。つまり鎖国するっきゃニャイのだ。人間はなんで、こうまでして自分たちの宗教を広めなきゃいけニャいのか？　そもそも、本当に宗教って人間に必要ニャのか？　ねこにはわからニャイのだ。

フランス革命

19世紀はじめのヨーロッパ

1789年、フランス革命が勃発し、絶対王政が倒され、自由主義の政府が誕生する。「人権宣言」が採択され、その結果、ユダヤ人にも市民権が与えられ、植民地での奴隷制度もやがて廃止された。
他のヨーロッパの絶対王政を維持していた国々は、市民革命が自国にも波及するのを恐れ、次々とフランスを攻撃した。祖国防衛に自ら武器を持って立ち上がった自由市民を指揮したのが、軍事の天才ナポレオンである。革命後の混乱の中で、ナポレオンは皇帝にまで登り詰める。

ニッシム：
1789年にフランス革命が起こって、1792年に王制が廃止されたのは知ってるよね？

アリ：
うん、ルイ16世やマリー・アントワネットがギロチンにかけられちゃったんだよね。

ニッシム：
その時の国民議会で「人権宣言」が採択されて、信仰の自由と一緒にユダヤ人に平等の市民権が認められたんだ。

アリ：
それって、フランスのユダヤ人が、フランス人になるってこと？

ドラクロワ作『民衆を先導する自由の女神』
（ルーブル美術館）

ナポレオン：
そうだ。フランス領土に住む人間は、すべてフランス国民になるのだ。フランス国民はキリスト教を信じようが、イスラム教を信じようが、ユダヤ教を信じようが自由である。ユダヤ教徒のままフランス国民になれる。すべてのフランス国民と平等なのだ。どこに住んでも自由である。どんな職業についてもかまわない。もはやユダヤ人ではないのだ。ユダヤ系フランス国民として、フランス社会、フランス文化に同化してもらいたい。フランスを愛し、フランスを守るために、兵役にもついてもらう。
これまでのように、王のために戦うのではない。
自分が帰属する、愛するフランスのために戦うのだ。フランス万歳！

フランス革命で、フランスという国が王のものから人民のものになったニャ。つまり、国の主権が君主から人民に移ったニョだ。この、国の主権を持った人民を「国民」と呼び、国民によって構成される国を「国民国家」というニョだ。
国民は平等権とか、自由権、参政権なんかの「市民権」を持つ代わりに、納税や兵役などの義務を負う。一般的には、独裁国で国民に主権のない国だって、そこの国籍を持ってれば、その国の国民って一応言うけどニャ。
ワー、良かったね！これでユダヤ人も安心だね。

信仰の自由を宣言するナポレオン・ボナパルト（1769～1821）

ユダヤ人の大銀行家ナタニエル・ロスチャイルド卿：
オランダ、ベルギー、イタリアなど、ヨーロッパのほかの国でもユダヤ人に市民権が認められました。これでもう、差別されることも、殺されることもなくなると思い、ユダヤ人たちは一生懸命ヨーロッパ社会に同化する努力をしました。キリスト教に改宗したユダヤ人も大勢います。

ナタニエル・ロスチャイルド
(1812〜1870)

産業革命が起こり、大量の資本が必要となって、私たちロスチャイルド家のように、金融、銀行業で大成功して大金持ちになるユダヤ人が出てくる。ほかの産業でも、成功するユダヤ人が続出する。また、ユダヤ人にも職業の制限がなくなり、どこの大学でも学べるようになって、勤勉なユダヤ人はあらゆる分野で大活躍する。それが妬《ねた》みになって、あらたな「反ユダヤ主義（アンチ・セミティズム）」が広がってきたんですよ。

ニッシム：
1894年、フランスでドレフュス事件というのが起こった。フランス軍のドレフュス大尉がスパイ罪で有罪になって、悪魔島へ島流しにされちゃうの。
実は大尉はユダヤ系で、軍の反ユダヤ主義の連中がでっち上げた事件だって、後になってわかったんだ。この事件で、ユダヤ人は軍人になって命をかけて国を守っても、その国民として認められ、差別を受けずに平和に暮らすのは無理なんだって悟るんだ。

アリ：
自由、平等、博愛の国フランスでこうなんだから、ほかの国ではもっとひどかったんだろうね。

ニッシム：
1895年のドレフュス大尉の階位剝奪《はくだつ》式だよ。
見物人が大勢いるなかで、軍服から、階級章やボタンがちぎりとられる。
サーベルも折られちゃうんだ。

アリ：
かわいそう！

テオドール・ヘルツル：
ナポレオンが作った「国民国家」の思想は、その国のすべての人が民族意識は捨てて、「自分はその国の国民だ」と考えることが不可欠でした。ですから、日本やドイツのように、１民族１国家の国が理想とされました。しかし現実には、日本にはアイヌの問題などがあり、ドイツにもユダヤ人が大勢住んでいます。世界には、厳密に１民族だけで構成された国はないと言ってよいでしょう。民主主義、多数決主義の国では、常に多数派の意見が通り、少数派、少数民族は不利益を被《こうむ》ります。

テオドール・ヘルツル
(1860～1904)
ウイーンのユダヤ系
ジャーナリスト・作家

ドレフュス事件で経験したように、少数民族は差別され、迫害されます。ユダヤ人をこういった迫害から解放するには、自分たちの国を造り、そこで多数派になるしか解決法はありません。
パレスチナの荒野に入植し、ユダヤの国を造りましょう。
「土地なき民に、民なき土地を！」

アリ：
「民なき土地」だって？　どこのことだい？
パレスチナにはいつだってパレスチナ人が住んでいたし、ネゲブ砂漠にだってちゃんとベドウィン（アラブ系遊牧民）が住んでいるんだ！

ニッシム：
ユダヤ人が入植したところは無人で、後からお金を求めてアラブ人がやってきたんだって、ぼくは習ったよ。

ニッシム：
パレスチナにユダヤ人国家を建設しようという運動は「シオニズム」、活動家は「シオニスト」って言うんだ。旧約聖書の時代から、エルサレムは「シオン」と呼ばれていたからね。ディアスポラのユダヤ人にとって、シオンに帰ることが夢だったんだ。

ニッシム：
ヘルツルはシオニストの会議を開き、組織を作って、ユダヤ人国家を建設する土地を提供してくれるよう、列強と交渉した。アフリカのウガンダや、南アメリカのアルゼンチンが候補に挙がったけど、ユダヤ人たちにはパレスチナ以外考えられなかった。
19世紀末、ロシアでのポグロム（ユダヤ人の迫害、虐殺）をきっかけに、ユダヤ人のパレスチナ入植が始まる。
20世紀になると、シオニストたちは、組織的、本格的に入植を推し進めたんだ。

アリ：
土地はどうやって手に入れたの？

ニッシム：
世界的なユダヤ系財閥のロスチャイルド家なんかが買ってくれたんだ。

ロスチャイルド家の執事：
ご主人（エドモン・ロスチャイルド）様は、アラブの不在地主から、パレスチナで一番肥沃な土地、戦略的に重要な土地を買い上げられました。
ロスチャイルド家の資金援助は、土地購入から、作物の選択、植え付けはもちろん、全収穫の買い上げまで、すべてカバーしました。それは、まるで、国家規模の援助でした。しかも、エドモン様はすべて匿名《とくめい》で援助されたのです。

エドモン・ロスチャイルド
(1845〜1934)

第１次世界大戦

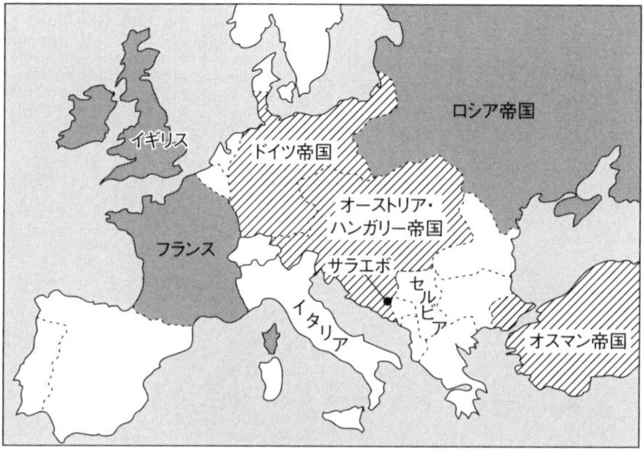

第１次大戦前のヨーロッパ

18世紀末にイギリスで起こった産業革命は、資本主義を発達させ、社会を豊かな資本家階級と、貧しい労働者階級（プロレタリアート）に分断する。
この資本主義の弊害《へいがい》を、所有の制限と、労働者の団結で正し、理想的な社会を造ろうと、「社会主義」、「共産主義」の思想が生まれる。
一方、産業革命に成功した国家は、原料と市場を求めて第三世界の国々を次々と侵略し、植民地にする。

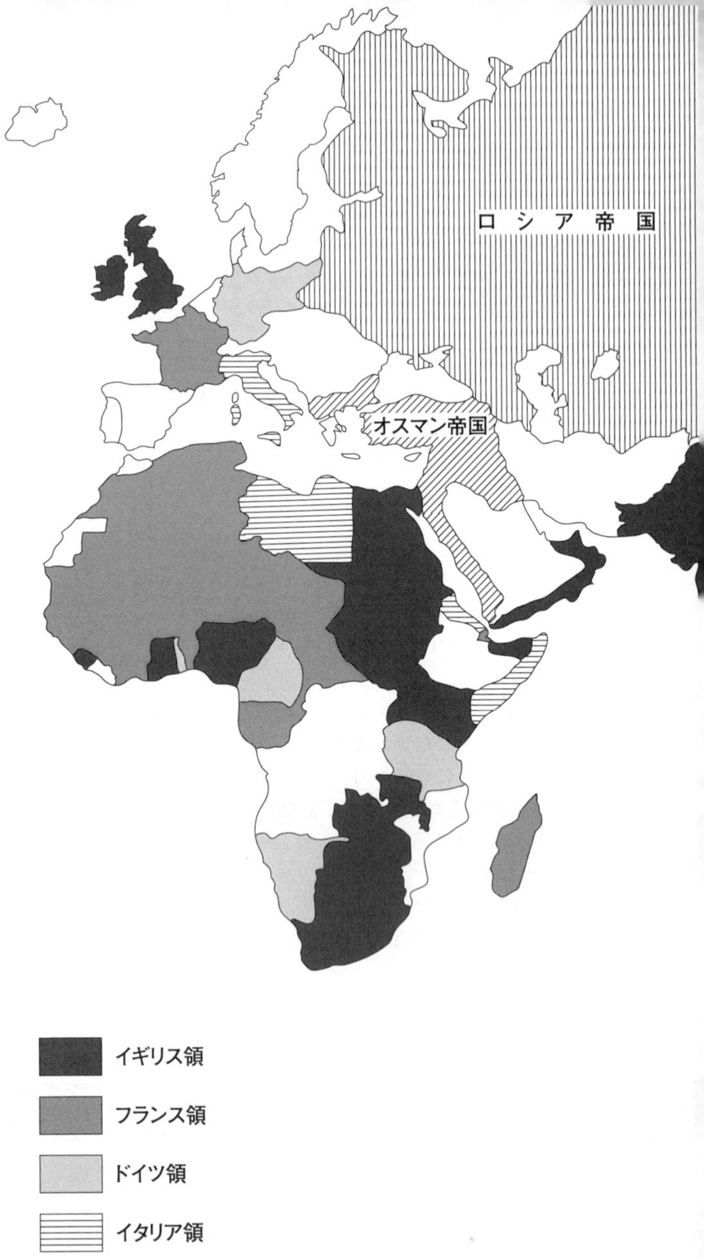

ロシア帝国
オスマン帝国
イギリス領
フランス領
ドイツ領
イタリア領

この地図は第１次世界大戦前の旧世界だけど、アフリカ、インド、東南アジアのほとんどの国は、ヨーロッパ列強の植民地になっていた。「列強」っていうのは、早くから国民国家を造り上げ、産業革命に成功して、強力な軍隊を持った国々のことで、先発のイギリス、フランスに、ドイツ、イタリアなんかが加わり、アジア、アフリカで植民地獲得合戦を演じるんだ。
結局、それが世界大戦につながるんだね。

ニッシム：
植民地帝国は……列強のことだけど、植民地の富を吸い上げただけじゃなかった。白人文化の方が進んでいて、遅れてるアジア、アフリカの人々に自分たちの文化を与え、キリスト教を布教して文明化するのを使命と考え、植民地に自分たちの文化を押しつけたんだ。

アリ：
アジアやイスラムの文化の方がずーっとカッコイイのに。

ニッシム：
エジプトや中国なんか、ヨーロッパの白人文化よりずっと長い歴史があるしね。
でも、多くの植民地の人は白人や白人文化に劣等感を抱いた。それで、「白人の方が有色人種より優秀な人種だ」っていう、根拠のない人種差別意識が、白人側にも有色人種側にも生まれたんだ。

アリ：
その「白人」とか、「有色人種」ってのが、すでに嫌な言葉だね。「ヨーロッパ人」とか、「非ヨーロッパ人」とか言えないの？

ニッシム：
18世紀の末に、イギリスで産業革命が起こったよね。それまでは、モノを作るのに人力と道具で作っていたのが、水力や蒸気機関を使い、機械を使うようになったんだ。それで生産力もグッと大きくなった。
すると、工場を持ってる資本家と、工場で働いてる労働者との貧富の差もグッと大きくなった。今までの、王侯貴族と平民との間の不平等が、資本家と労働者との間の不平等というかたちになってきたんだ。
そこで、モノを作る機械や工場の所有を制限しようと考えたのが「社会主義」で、機械や工場を社会共有のものとしようとしたのが「共産主義」なんだ。

カール・マルクス：
私の親はユダヤ人だが、私はユダヤ教はまったく信じていない。
民族の問題など気にしたことはないな。
ユダヤ人だろうが、パレスチナ人だろうが、労働者は労働者なのだ……ユダヤ人は資本家が多いがね。
世界中の労働者が連帯して……つまり心をひとつにして「革命」を成し遂げたら、差別や搾取《さくしゅ》がない理想的な世界……まあ、一種の天国になるんだ。
「民族」だの「国家」だの、ちっぽけな縄張り意識や争いは、消えてなくなってしまうのだ。

カール・マルクス
(1818～1883) ドイツの経済学者、共産主義の元祖

第1次世界大戦前のオスマン帝国

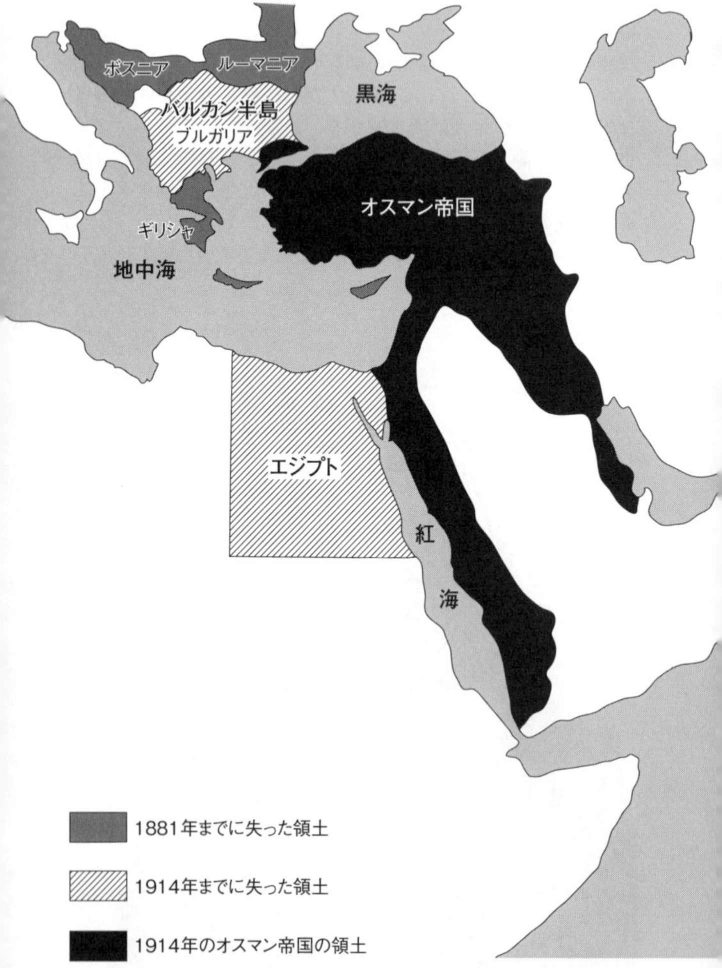
ボスニア
ルーマニア
黒海
バルカン半島
ブルガリア
オスマン帝国
ギリシャ
地中海
エジプト
紅
海
1881年までに失った領土
1914年までに失った領土
1914年のオスマン帝国の領土

オスマン帝国のアブデル・ハミト２世：
19世紀以降、ロシアが黒海の制海権やバルカン半島を狙って南下してくるので、防衛しなきゃいけなかった。それがクリミア戦争（1853〜1856）や露土《ろと》（ロシア・トルコ）戦争（1877）だ。おまけに、バルカン半島ではナショナリズムが高まって、ギリシャ人、セルビア人、ルーマニア人たちが独立戦争を始めおる。戦争に次ぐ戦争で、オスマン帝国は体力が弱った。戦費を外国に頼ったので、借金で首も回らなくなってしまった。
そんな帝国を、ヨーロッパ列強は「瀕死の病人」と呼び、わが領土を虎視眈々《こしたんたん》と狙っておる。見くびりおって！
この私を誰と心得る。この勲章が目に入らぬか。
イスラムの王、スルタンなるぞ！
ひとたび私が「ジハード（イスラムの聖戦）」と唱えれば世界のイスラム教徒が武器を持って立ち上がるのじゃぞ！

アブデル・ハミト２世
（1842〜1918）
オスマン帝国第34代スルタン

イギリス
ロシア
ドイツ
帝国
オーストリア・
ハンガリー帝国
フランス
サラエボ
イタリア
オスマン
帝国

ニッシム：
1914年６月、サラエボでオーストリア皇太子が暗殺されたのがきっかけとなって、ヨーロッパ列強がふたつに割れて第１次世界大戦が始まる。列強はドイツを中心に、オーストリア、イタリア（翌年、同盟離脱、協商側へ）を加えた「三国同盟」と、イギリス、フランス、ロシアが結びついた「三国協商」に分かれて戦った。オスマン帝国は「三国同盟」、つまりドイツ側に立って戦ったんだ。

ニッシム：

イギリスはメッカの太守ハシム家のフセインに「アラブ人を率いてオスマン帝国に反乱を起こせば、フセインを王としてアラブ王国を独立させる」と約束する（フセイン―マクマホン書簡、1915年）。この時、イギリスから軍事顧問として派遣されたのが、映画にもなった「アラビアのロレンス」なんだ。

参考映画：『アラビアのロレンス』1962年イギリス
D・リーン監督、ピーター・オトゥール主演

ロレンス：
アラブ人たちは部族意識が異常に高く、部族の利益しか考えない。従って、アラブ人が一枚岩となってオスマン軍と戦うなど到底無理だとイギリスは考えていた。
私はアラブ人にアラブ全体にとっての利益を説き、イギリス流の不屈の精神をたたき込んだ。
イギリス軍の予想に反し、アラブ人は私に従い、アカバの要塞を落とし、ダマスカスを陥落させた。
1918年にオスマン帝国はイギリスに降伏したが、アラブを独立させる約束は守られなかった。
残念だが、大英帝国の利益のためだ、仕方がない。

トーマス・エドワード・ロレンス
(1888〜1935)

地中海
ユダヤのホームランド
アラブ王国
$
アラビア半島

ニッシム：
独立させてくれると言ったイギリスの約束を信じて、アラブ軍がロレンスと一緒にオスマン軍と戦っているころ、イギリスはユダヤ人の大富豪ロスチャイルドに手紙を出して、ユダヤ人たちが戦費を賄ってくれるなら、パレスチナにユダヤ民族のホームランドの建設を認めようと言ったんだ（バルフォア宣言、1917年）。

アリ：
冗談じゃないよ！
当時だって、パレスチナには70万人くらい、ぼくの先祖の、アラブ・パレスチナ人が住んでいた。ユダヤ人なんて、ほんの6万人くらいしかいなかった。それで平和だったんだ。
そんなところにユダヤのホームランド……ユダヤの国ってことだよね……なんか造って、ユダヤ人移民をどんどん連れてきたりしたら、バランスがくずれていがみ合いになるのは当たり前じゃないか。

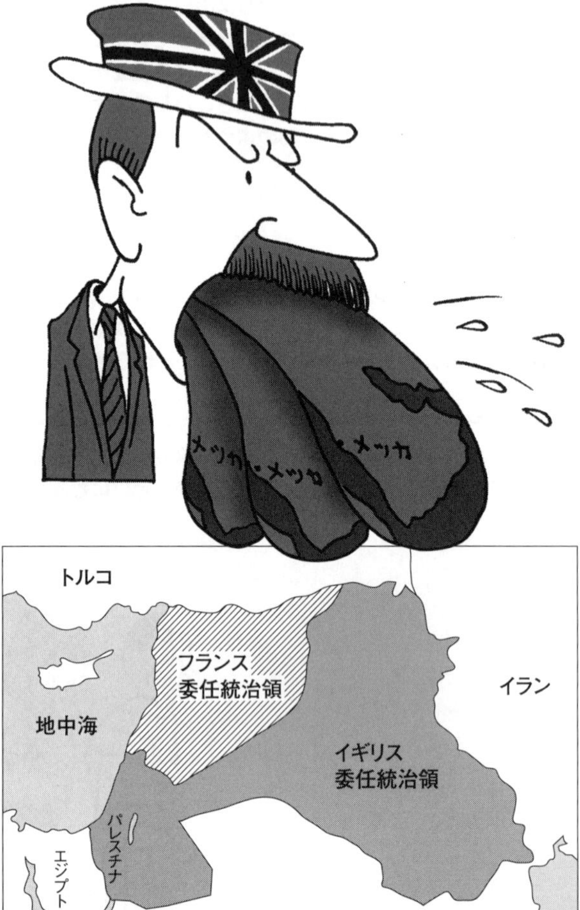
メッカ・メッカ・メッカ
トルコ
フランス
委任統治領
イラン
地中海
イギリス
委任統治領
パレスチナ
エジプト

ニッシム：
さらにひどいのは、フランスとの間に、大戦後のオスマン帝国領はイギリス、フランス、ロシアで山分けにする密約ができてたんだ（サイクス・ピコ協定、1916年）。

アリ：
なんだって？
それじゃ三枚舌じゃん!!
キッタネー!!!
どうせ、アラブ人やユダヤ人との約束は無視して、フランスとの約束は守るんだろ。

ユダヤ人移民はウエルカムだ！
イギリス首相
ロイド－ジョージ
(1863～1945)
モスル油田
地中海
パレスチナ
ペルシャ
スエズ運河
紅海

1918年に第１次大戦が終わり、1920年に私が全権大使として参加したサン・レモ会議（第１次世界大戦戦勝国によるオスマン・トルコ領の分割を決めた会議）で、イギリスはスエズ運河、ペルシャ湾、モスル（イラク北部）の石油を、国際連盟の委任統治というかたちで手に入れることに成功した。フランスは、シリア、レバノンを手に入れ、実質的に、中東はこの２国で山分け、狙い通りだ！
スエズ運河や油田など、イギリスの利権をアラブ人から守るには、パレスチナにユダヤ人が大勢いた方が都合が良いから、無制限の移民を認めたのだ。

アリ：
1920年にシリアはハシム家の三男ファイサルを国王に立てて、独立を宣言した。でも、同年のサン・レモ会議でこの土地の委任統治国となったフランスはそれを認めないで、武力でファイサルを追い出したんだ、独立させると約束してたのに。
怒ったハシム家は次男のアブドラにフランス領となったダマスカスを攻めさせようとした。あわてたイギリスとフランスは、妥協案としてアブドラをトランスヨルダン（現ヨルダン）の、三男のファイサルをイラクの王様にすることにした。
1922年にイギリスはエジプトに独立を認め、36年にフランスはシリアに自治を認めた。

アラビア半島は、サウド家のイブン・サウドが武力統一に成功して、32年にサウジアラビア王国の独立を宣言する。
ハシム家のフセインは、戦争でイギリスに協力して、大アラブ王国を造るつもりだったのに、英仏にすっかり細切れにされちゃった。

ニッシム：
イラクやヨルダンを独立させ、残ったパレスチナで1922年にイギリスの委任統治が始まった。
イギリスは公約通り、ユダヤ人を無制限に移民させた。

アリ：
1918年には、パレスチナに６万人もいなかったユダヤ人が、その後の10年間で３倍にもなっちゃった。
世界中のユダヤ人からお金を集めて、ダマスカスなんかに住んでいたパレスチナの不在地主からどんどん土地を買い始めたんだ。貧しいパレスチナ人はおかげで農地や仕事を失った。おまけにホームランド（民族の郷土）を造るだけで、国は造らないって言っていたユダヤ人が、自分たちで税金を集め、教育や健康保険システム、自衛のためと言って軍事組織（ハガナ）まで作って、着々と国造りを始めた。それを見て、このままでは国まで奪われると思ってパレスチナ人は暴動を起こしたんだ。当たり前だよね。

エルサレム旧市街に入城するイギリス軍

ユダヤ
国家
エルサレム
委任統治領
アラブ
国家

ニッシム：
このころ、中東で大油田が発見されたんだ。ヨーロッパでは、ナチスが政権を握り、また戦争の危機が迫っていた。そこでイギリスは新たにアラブ人の協力が必要となって、アラブ人に有利な提案をしたんだ（ピール委員会分割案、1937年）。
この案がアラブ、ユダヤ双方の拒否にあうと、イギリスはさらにアラブに有利な提案をする（マクドナルド白書、1939年）。
10年以内にパレスチナ国家を樹立する。ユダヤ人移民を制限する。ユダヤ人の土地購入を制限するって内容だった。

アリ：
自分たちの利益だけ考えて、コロコロ言うことを変えるイギリスって本当に信用ができない。
ぜんぜん紳士の国じゃないよ！

ニッシム：
言えてる！
でも、こんなに有利な提案を拒否したアラブ人もどうかと思うよ。この提案を受け入れていれば、今の悲劇はなかったかもしれないのに。

アリ：
イギリスが勝手にユダヤ人に約束したんだよ。
ぼくたちの土地じゃなくて、イギリスに造ったらいいじゃないか、ユダヤ人のホームランドを。

第２次世界大戦とホロコースト

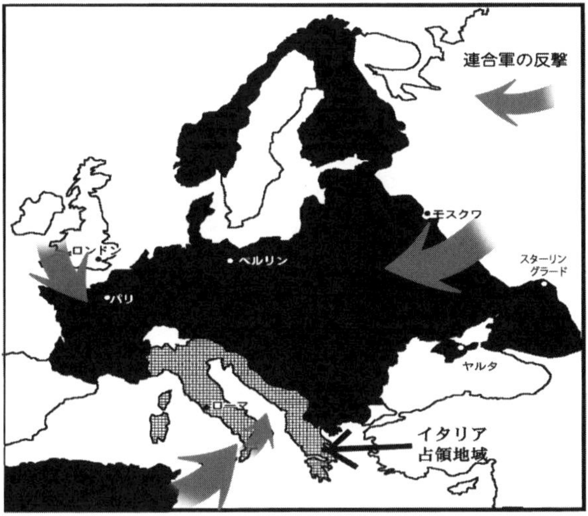

1942年までのドイツ占領地域

ヒトラーに率いられたナチス・ドイツはオーストリアやチェコを併合し、さらに全ヨーロッパを支配しようと1939年にポーランドに侵攻した。それに対しイギリス、フランスはドイツに宣戦し、第２次世界大戦が始まった。
日本は1940年にドイツ、イタリアと日独伊三国軍事同盟を結び、41年にハワイを奇襲攻撃する。
日本の同盟国ドイツ、イタリアもアメリカに宣戦すると、アメリカもイギリス、フランス側に立って参戦し、ソ連とともに連合国の中心となった。

わがドイツ民族は、優越民族であり、文化の創造者たるアーリア人種である。現在のわがドイツ帝国の混乱は、劣等民族であり、文化の破壊民族であるユダヤ人が発明した共産主義と、ユダヤ人の退廃文化がもたらしたものである。
ドイツ民族がその優秀性を守り、その人種的純血を守るためには、劣等民族を隔離し、さらには抹殺《まつさつ》するしか方法はないのだ！

アドルフ・ヒトラー
(1889〜1945)

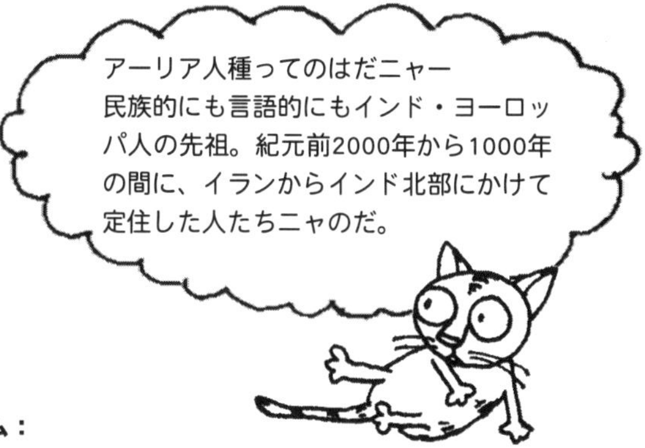
アーリア人種ってのはだニャー
民族的にも言語的にもインド・ヨーロッパ人の先祖。紀元前2000年から1000年の間に、イランからインド北部にかけて定住した人たちニャのだ。

ニッシム：
第１次大戦で負けたドイツは、ベルサイユ条約で
①全植民地の放棄　②軍備の制限　③賠償金の支払い
をさせられる事になった。
莫大な賠償金の支払いはドイツ経済を苦しめ、とんでもないインフレ（物価高）になっちゃった。やっとインフレを克服して、経済が安定してくると、今度は世界恐慌（世界規模の大不景気）に巻き込まれて、街には失業者があふれた。
ヒトラーはすべての原因をベルサイユ条約とユダヤ人のせいにした。
1933年、ヒトラーのナチス党が政権をとると、ベルサイユ条約を破棄し、ユダヤ人を迫害し始めたんだ。

参考映画：
『チャップリンの独裁者』
1940年アメリカ
チャールズ・チャップリン監督

ねこ：
どうもヒトラーとナチスは「人種」と「民族」をごっちゃにしているみたいだから、ここでちょっと整理しよう。

人種―皮膚の色、髪の毛、骨格など人間の生物学的特徴……
　　　つまり、主に外見で分類した人間の種類。

人種によって優劣があるって説は、ヨーロッパ列強の植民地主義やナチスのホロコースト（大量虐殺）の正当化に利用された。人種によって祖先が違うっていう「人類多起源説」がベースにある。
だけど、最近の研究じゃ、人類の先祖はひとつという「人類単起源説」が有力ニャンだ。すると、人種に優劣はないし、外見の差も、暑いとか寒いとかの、単なる生活環境の差によって生まれただけで、知能とか能力に差はないんだ。
おれたちネコ族じゃ、白ネコの方が黒ネコより優秀だなんて、誰も考えたこともニャイよ。

民族―言語や宗教、歴史や伝統などを共有していると考えられている集団。

民族の確固たる定義なんかないから、「自分は○○人だ」と考えている人や、他人から「あいつは○○人だ」と思われている人が○○人であり、そのグループが○○民族なんだニャ。
つまり、民族意識には「おれたちは、あいつらとは違うんだ」って意識がベースにあるから、優越感、差別、憎しみなんかとすぐ結びついちゃうニョだ。

この本に登場する３つの民族、ユダヤ人、アラブ人、パレスチナ人についてもまとめておこう。
旧約聖書によれば、この３つの民族すべて、ノアの長男セムの子孫だ。つまり、同じ人種で、同じ民族だったってことだニャ。

アラブ連盟22ヵ国

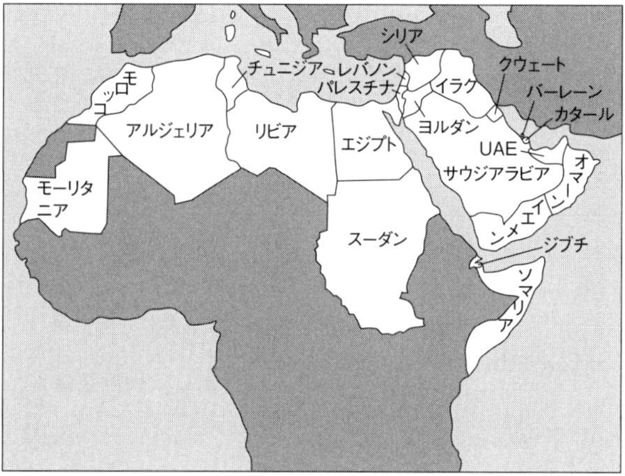

(上記地図以外にインド洋の島国コモロが加盟している)

	定義
ユダヤ人	ユダヤ教徒とユダヤ人の母を持つ人
アラブ人	アラビア語を母国語とする人 20世紀に入り、オスマン・トルコやヨーロッパ列強の支配とイスラエル建国に反発し、民族意識が生まれた
パレスチナ人	パレスチナに住んでいる人 イスラエル建国以前にパレスチナに住んでいた人 パレスチナ人を父に持つ人 イスラエル建国に反発して民族意識が生まれた

人口	宗教	言語
世界中に 約1330万人 アメリカに 約550万人 イスラエルに 約540万人 その他 約240万人	ユダヤ教	イスラエルでは ヘブライ語、ア ラビア語が公用 語 外国に住むユダ ヤ人は、主にそ の国の言葉を使 っている
アラブ連盟加盟 22ヵ国を中心に 約2億5000万人	主にイスラム教 キリスト教徒、 ユダヤ教徒も含 む	アラビア語
イスラエルに 約130万人 ヨルダン川西岸 に約210万人 ガザ地区に 約110万人 近隣の国、難民 キャンプに 約380万人	主にイスラム教 キリスト教徒、 ユダヤ教徒も含 む	アラビア語

民族の概念なんていいかげんなものだから、上の定義に従えば、ユダヤ人で、アラブ人で、かつパレスチナ人でもある……なんて人が出てくる。昔は一緒になって平和に暮らしてた人たちを、民族概念でグループ分けしようとするのが間違ってるんだニャ。

参考映画：『夜と霧』
1955年フランス
アラン・レネ監督

ニッシム：
ヒトラーってほんとにクレージーだよ。
ユダヤ人は人種じゃないのに、「ドイツ人は優秀な支配人種。ユダヤ人やロマ人（ジプシー）は劣等な人種だ」って言って、ナチスの軍隊を使って皆殺しにしようとした。第2次大戦中、アウシュビッツなんかの強制収容所でユダヤ人を600万人、ロマ人を22万人くらい殺した。
この大量虐殺を「ホロコースト」って言うんだ。
女の人も、ぼくたちみたいな子供も、赤ちゃんも殺した。
後ろの煙突から出てるのは、殺した人たちを燃やしてる煙だよ。

アリ：
世界はどうしてヒトラーに600万人も殺すことを許しちゃったんだ？

ニッシム：
秘密で行われていたので、はじめはユダヤ人でさえホロコーストが行われていることを知らなかった……。知らないというより、民族が違うってだけで皆殺しにされちゃうなんて信じられなかった。
ヨーロッパ人の中にもユダヤ人をかくまったり、逃がしたりして、ナチスに抵抗した人もいる。でも、大虐殺に協力した人も、見て見ぬフリをした人も大勢いるんだ。

600万人っていったら、
東京の人口の半分を
殺すようなもん
ニャのだぞ

ニッシム：
ホロコーストに責任があるナチスの将校たちはどこに逃げていても、いまだに追跡され、捕まれば裁判にかけられる。普通の犯罪と違って、人道上の犯罪には時効がないんだ。

アリ：
あったりまえじゃん。

私は、上司の命令を忠実に実行しただけですから無罪です。

アドルフ・アイヒマン
(1906〜1962)

ニッシム：
ナチス親衛隊の幹部でユダヤ人虐殺の責任者であるアドルフ・アイヒマンはアルゼンチンに逃げていたけど、1960年にモサド（イスラエルの秘密機関）に捕まって、エルサレムで裁判にかけられ、62年に死刑になった。

アリ：
ユダヤ人って、ずいぶんひどい目にあってるんだね。

ニッシム：
ナチスばかりじゃないんだ。
19世紀の終わりから、20世紀の初頭にかけて、ロシアでユダヤ人に対する集団暴行事件がしょっちゅう起こった。「ポグロム」っていうんだけれど。ロシア政府は民衆の政治に対する不満のはけぐちとして、積極的にポグロムを利用した。それがきっかけとなって、ユダヤ人のロシアからアメリカやパレスチナへの移民運動が始まったんだ。

参考映画：『屋根の上のバイオリン弾き』
1970年アメリカ
ノーマン・ジュイソン監督

アリ：
ユダヤ人を迫害したり虐殺したのは、いつもヨーロッパのキリスト教国じゃないか。
オスマン・トルコやグラナダ王国なんかのイスラム国では、イスラム教徒とユダヤ人は平和に共存していたんだ。パレスチナでも1000年以上平和に一緒に暮らしてた。
ヨーロッパの国々も、ユダヤ人を差別しないで社会に同化することを認めて、共存していれば問題はなかったのに。ユダヤ人を迫害したり、虐殺したりして、人道上の問題になって収拾がつかなくなったんで、パレスチナにユダヤ人問題を押しつけただけじゃないか。

イスラエル建国

1948年５月14日、イスラエルは建国を宣言する。
ユダヤ人が国を失っておよそ2000年。その歴史の中で、たった一度だけ巡ってきたチャンスをベングリオンは確実にものにした。60万人のユダヤ人が、敵意に満ちた400万アラブ人の土地のど真ん中に、貧弱な武力で国を造ったのだ。
ユダヤ人からすると、かつての「出エジプト」のモーゼの奇跡に匹敵する快挙だろう。

ニッシム：
1945年にドイツや日本が降伏して第２次世界大戦が終わる。ホロコーストの全貌が明らかになると、国際社会はユダヤ人に対して自分たちは何もできなかったと、うしろめたい気分になって、同情的になった。それでも、積極的にユダヤ人を受け入れようとする国なんてなかった。
当時、ヨーロッパには、生き残った数十万人のユダヤ人難民がいた。彼らは家族も家も財産も失って、帰るところがなかった。パレスチナにユダヤ人の国を造ることが、かれらにとって唯一の望みだった。

ニッシム：
当時、パレスチナでは、統治していたイギリス軍に対してユダヤ人とアラブ人が暴動とテロを繰り返していた。
イギリスは、中東での石油発見以来アラブ寄りの立場を崩さず、新たなユダヤ人移民を認めなかった。
ユダヤ人難民はあらゆる手段を使ってパレスチナに密入国しようとしたけど、イギリス軍に追い返されたんだ。
ユダヤ人難民を満載した船が入港を拒否され、地中海をさまよった。中には、難民もろとも沈んじゃった船もあって、そんな悲劇が国際世論を動かし、アメリカがパレスチナにユダヤ人の国を造ることを支持し始める。

アリ：
そのころからアメリカはイスラエル寄りだったんだな。

参考映画：『栄光への脱出』
1960年アメリカ
オットー・プレミンジャー監督

ニッシム：
そのころアメリカにはユダヤ人がもう450万人も住んでいて、社会的地位が高い人も多く、政治的に無視できない勢力となっていた。
その時のアメリカのシオニストグループのリーダーは、後にイスラエルの初代首相になるベングリオンだった。
アメリカのシオニストグループは、パレスチナに違法に移民を送る工作をしたり、アメリカ政府にイスラエルを支持するように圧力をかけたんだ。

アメリカの石油業界からは、アラブを支持して中東の石油を確保するように圧力がかかっていたんだが、人道的見地から、ユダヤ人がパレスチナに祖国を建設することを支持したんだ……
アメリカ大統領
ハリー・トルーマン
(1884〜1972)
国際世論もあるし、ユダヤ人の450万票も魅力的だったニョだ。

ニッシム：
1947年、暴動とテロに手を焼いたイギリスは、パレスチナ問題を国連に投げ出し、1948年5月15日をもって委任統治を終え、撤退することにした。
国連はパレスチナを、ユダヤ国家、アラブ国家、それにエルサレム（国際管理地域）の3つに分割する案を賛成33、反対13、棄権10で採択するんだ。

アメリカ賛成
イギリス棄権
エジプト反対
ソ連賛成
分割案は
可決され
ました
まさか！

国連パレスチナ分割案（1947）

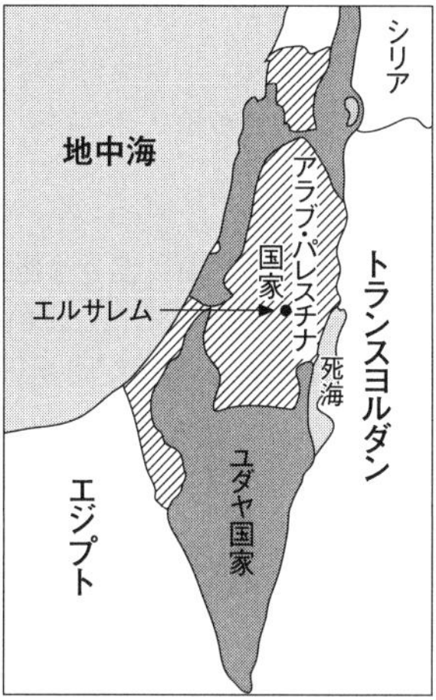
シリア
地中海
アラブ・パレスチナ国家
トランスヨルダン
エルサレム
死海
エジプト
ユダヤ国家

エルサレムは国際管理地域

アリ：
ひっどいや。当時のパレスチナの人口は197万人、その内ユダヤ人は60万人、３分の１しかいなかった。それなのに、パレスチナの56.5％がユダヤ人の国になっちゃうなんて、とっても認められないよ！

ニッシム：
ロスチャイルドみたいなユダヤ人の金持ちが、パレスチナの地主から買ったんだって。

アリ：
ユダヤ人が買った土地なんか、全パレスチナの６％しかなかった。アラブ人が分割案を拒否するのは、当たり前だよ。
だから、1947年11月29日に国連で分割案が通ると、アラブ人が怒って、パレスチナは内乱状態になったんだ。

ディール・ヤッシン村の住人：
パレスチナが内乱状態になると、ユダヤ人の軍事組織はエルサレムへの補給路がアラブ人に攻撃されないよう、道沿いの村を攻撃して、破壊したのさ。
忘れもしない1948年４月９日のことだった、私の村、ディール・ヤッシン村もユダヤ人過激派に襲われた。
女や子供、非戦闘員も容赦なく殺された。全部で254人の村人が殺されちまった。村は破壊され、火を付けられた。平和で美しい村だったのに……。
このニュースを聞いたアラブ・パレスチナ人は恐くなって自分の村から逃げ出し始めたのさ。
数ヵ月の内に、70万人以上の人が、パレスチナから逃げ出したってことだ。

アリ：
これがパレスチナ難民の始まりだ。
今では、その子供達も含めて400万人にもなってるんだ。

ニッシム：
この事件が直接の原因で逃げ出した人はそんなに多くなかったって話だよ。
それが、この事件をパレスチナ側は宣伝に利用しようとして、さらに誇張してニュースで流したんだ。それでまた逃げる人が増えちゃったらしいよ。

アリ：
何をトボケたことを言ってるんだい。
女、子供の非戦闘員まで殺されたんだ。
パニックになって逃げ出すのが当たり前じゃないか！

ニッシム：
1948年、イギリス軍がパレスチナから撤退する１日前、つまり５月14日、ベングリオンはイスラエルの建国を宣言する。
独立が宣言されるとすぐ、トルーマン米大統領がイスラエルを国家として承認した。次の日にはソ連が承認した。米ソが続いて承認するなんて、その後の冷戦時代なら考えられないことだよ。

ここにイスラエル国家の
独立を宣言する！

イスラエル初代首相
ダビッド・ベングリオン
（1886〜1973）

第１次、第２次
中東戦争

1948年、第１次中東戦争が始まる。
武器、兵力、ともにまさるアラブ連合国軍はイスラエルに負ける。
千載一遇《せんざいいちぐう》のチャンスをものにして建国に成功したユダヤ人。
「ユダヤ人を地中海に追い落として、アラブ世界を統一する」という「アラブの大義」を実現する千載一遇のチャンスを逃したアラブ人。
有能なリーダーと強いモラール（戦意）、それに民族の固い団結の有無が、この差をもたらした。

ベングリオン：
1948年５月15日、イギリス軍がパレスチナから撤退すると同時に、シリア、レバノン、トランスヨルダン（今のヨルダン）、イラク、エジプトのアラブ５ヵ国の軍隊が雪崩《なだれ》を打ってイスラエルに攻め込んで来た。
アラブ側の兵力は５ヵ国合わせて15万3400、空軍まで持つ近代的軍隊だ。迎え撃つイスラエル軍は３万。そのうち、武器を持っている兵隊は40%しかいないというありさまだった。アラブ側は赤子の手をひねるくらい簡単にユダヤ人を地中海に叩き込めると思っておった。アメリカでさえ、そう長くは持ちこたえられないと考えていたさ。

事実、ほぼすべての前線でイスラエルは負け続け、エルサレム旧市街は２週間の戦闘で陥落してしまった。
ところが、幸運なことに、イギリスが国連に４週間の停戦決議を通してくれた。
たまにはイギリスも良いことをする。
停戦は、イスラエルにとってまさしく天の恵み。
この間に、買い付けてあった武器が続々と到着する。世界中から義勇兵としてユダヤ人がやってきてくれる。かれらの多くは第２次大戦を軍人として戦いぬいたベテランで、到着した飛行機や近代兵器をすぐに使いこなしてくれたんだよ。

エジプト国王ファルーク：
もともと戦争なんてしたくなかったのに、アラブ諸国へのお付き合いということで、参戦しちゃったんだ。
エジプト軍の兵力は３万5000で、５ヵ国中最大だったけど、実戦の経験はまったくなし。まるで素人集団。しかも、簡単に勝てると甘く考えていたのね。

ファルーク
エジプト国王
（1920〜1965）

テルアビブめざしてガンガン進攻したのはいいけれど、補給のことを真面目に考えていなかったものだから、前線には食料も水もなくなっちゃった。停戦を受け入れなくちゃどうしようもない状態にあったわけ。
停戦の後は、アラブ諸国の足並みはバラバラになり、武器と兵員を補給したイスラエルに巻き返されちゃった。
エジプトがイスラエルと休戦協定を結ぶと、他の４ヵ国もバタバタとそれに続いて、なし崩し的に戦争は終わった。
王（つまり私のことね）と軍の権威は地に落ちて、ナセルなんかの青年将校たちがのさばってくる原因になったのね。
しょうがないね。

第1次中東戦争後のイスラエル（1949〜67）

レバノン
シリア
地中海
ヨルダン川西岸
ヨルダン川
テルアビブ
エルサレム
ガザ地区
エジプト
ヨルダン
国連分割案によるユダヤ国家地域
第1次中東戦争で併合した地域
ガザ地区はエジプト、ヨルダン川西岸と東エルサレムはヨルダンが占領

ニッシム：
上の地図が、この第１次中東戦争でイスラエルが手に入れた国土だよ。
イスラエルが国連のパレスチナ分割決議案にしたがって独立宣言をしたら、アラブ諸国が圧倒的な兵力で一方的に侵略してきた。
その仕掛けられた戦争をやっとの思いで勝ち抜いて手に入れた土地だから、ユダヤ人は正当に手に入れた土地だと考えている。

アリ：
何言ってるんだい！
ユダヤ人の国が滅んで2000年もたってから、神に約束された土地だからって、ノコノコ戻ってきて、元からの住人、僕たちパレスチナ人を追い出して、また国を造る……、そんな権利、君たちには全然ないんだからね！
おかげで、100万人近いパレスチナ人が難民になってヨルダン川西岸やガザ地区に逃げ出した。
そのパレスチナ難民がイスラエルに残してきた土地や財産を没収するなんて……、帰る国や家がなくなった人たちがどんなにひどい生活をしなきゃいけないか、2000年もの間ディアスポラ（離散）してた、君たちユダヤ人が一番よく知ってるだろ！

アリ：
1952年７月、エジプトで、ナセルやサダトなどの「自由将校団」がクーデターを起こし、ファルーク王を追放して無血革命に成功する。

われわれエジプト軍は、兵力的にも装備でも、圧倒的に劣勢だったイスラエル軍に敗れました。この屈辱的な敗戦は、あなたをはじめとして、政府、軍の上層部の無能、腐敗によってもたらされたものです。
従ってわれわれはあなたを追放することに決定しました。
出てけ！
ガマル・アブデル・ナセル大佐
後のエジプト大統領
（1918～1970）

このころには、中東でもアメリカとソ連の冷戦が始まっていた。アメリカと西欧諸国は、中東でもソ連を封じ込めようとしていたんだ。
いつもイスラエル寄りのアメリカに不信を抱いていたナセルはソ連に接近して、大量に近代兵器を買った。
アメリカは怒って、ナイル川のアスワン・ハイダム建設用に約束していた融資を取り消した。
するとナセルは、イギリス、フランスのものだったスエズ運河会社を国有化して、その利益でアスワン・ハイダムを造ると宣言したんだ。

ねこ：
「冷戦」というのはだニャ、第２次大戦後から80年代にかけて、アメリカとソ連が核武装競争をした結果、この２大国が直接戦えば人類が破滅してしまうという恐怖で、敵対はするけど、戦争はできなくなった状態が続いたんニャ。
これを冷たい戦争、「冷戦」と呼んだのだニャ。
でも実際は、世界各地の米ソの勢力争いで、周辺諸国では核兵器を使わない、小さな戦争がたくさん起こったニョだ。

イスラエル
スエズ運河
エジプト
シナイ半島
紅海

ニッシム：
イギリス、フランスはエジプトからスエズ運河を武力で取り返そうと計画し、イスラエルも参戦することにした。ベングリオンや参謀長だったダヤンは、エジプト軍がソ連から買った武器に慣れ、使いこなせるようになる前に叩いてしまおうと思ったんだ。

アリ：
1956年10月29日、イスラエルの仕掛けで第２次中東戦争（スエズ戦争）が始まり、１週間でイスラエル軍はシナイ半島を制圧するけど、ナセルが国連に訴えると、国際世論が高まり、ソ連ばかりかアメリカまで英仏とイスラエルを非難したんで、撤退せざるを得なくなったの。

アリ：
ナセルは戦争には負けたけど、国際世論を味方に付けて政治的には大勝利を手に入れた。
ナセルはアラブ世界ばかりでなく、第三世界でも英雄になった。
第三世界の国々など、武力でどうにでも言うことを聞かせることができると、英仏などの列強が思っていた「植民地主義」の時代を終わらせたんだ。

ねこ：
「第三世界」っていうのは、アジア、アフリカ、南アメリカで、植民地になったりして、大国に従属させられてた国々をさすニョだ。
冷戦になってからは、アメリカを中心とする西側先進国を第一世界（日本もここに入る）、ソ連を中心とする東側社会主義国を第二世界、その他の発展途上国を「第三世界」と言うようになった。
ナセルは第三世界のリーダーとなって、ネルー・インド首相、チトー・ユーゴスラビア大統領と一緒に、反植民地主義と、大国に依存しない勢力になることを目指して、西側にも東側にも与《くみ》しない……、つまり、どっち側にも、犬みたいにしっぽを振ってついて行かない「非同盟主義」を推し進めたニョだ。

第３次中東戦争とＰＬＯ

残念ながら、ナセルは偉大な政治家ではあっても、偉大な軍人ではなかった。1967年に第３次中東戦争が勃発すると、ナセル配下のエジプト軍の将軍たちはまたもやその無能ぶりをさらけ出し、イスラエルにたった６日間で完敗してしまう。
このエジプトの屈辱的な敗戦をきっかけに、「彼らには任せておけない。自分たちの手で、パレスチナを解放しよう」と、パレスチナ人が武器をとってゲリラ活動を始める。

ニッシム：
第２次中東戦争の後は、国連軍が駐屯して、エジプトとイスラエルを監視していたので、両国の間は比較的穏やかだったんだ。

アリ：
でも、アメリカと冷戦中のソ連は、ソ連が軍事援助しているエジプトがまたイスラエルと戦争して勝てば、中東でアメリカの優位に立てると考えたんだ。
それで、イスラエルが戦争を準備しているって偽情報をエジプトに流したのさ。

レオニード・ブレジネフ
ソ連共産党書記長
（1906～1982）

ニッシム：
それを真に受けたナセルは、国連軍を追い出して、シナイ半島に軍を集結させ、アカバ湾を封鎖した。イスラエルはスエズ運河の使用を禁止されているし、アカバ湾を封鎖されちゃえば紅海への出口がなくなっちゃって、経済的に窒息《ちっそく》しちゃう。戦争になるのは目に見えてた。

アリ：
それなのに、ナセルは本当に戦争になるとは考えていなかったみたい。エジプトの軍事力ではイスラエルに勝てないし、下手に攻撃すればアメリカが出てくると思ってた。だけど、アラブの英雄なんだから、アラブ諸国の期待に応えて、ファイティングポーズだけはとったのさ。

イスラエル国防相ダヤン：
1967年６月５日の朝、イスラエル軍はエジプト軍への攻撃を開始した。第３次中東戦争の始まりだ。
まず、空軍がエジプト軍の空軍基地を爆撃、３時間でエジプト空軍を徹底的に叩いて、完全に無力化した。エジプト空軍の反撃はまったくなかった。エジプト軍はシナイ半島に、わが軍の数倍の戦車部隊を展開していたが、空軍の援護がなければ裸同然、たいした反撃もせずに、壊滅した。
６月10日、両国は国連の停戦決議を受諾し、戦争は６日間で終わった（それで、６日戦争とも呼ばれる）。われわれの完璧な勝利だった。

モシェ・ダヤン
（1915～1981）

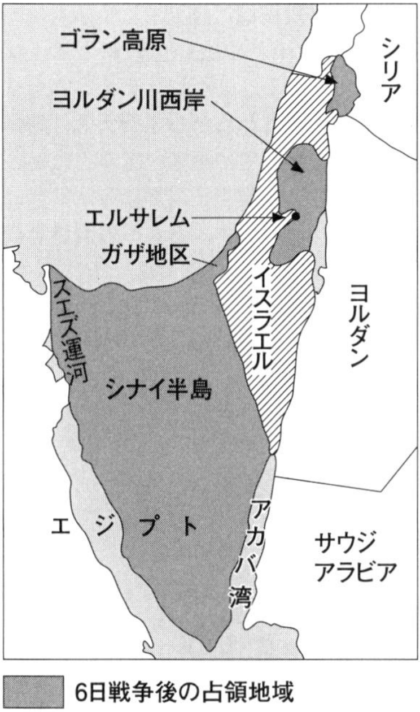

ゴラン高原
ヨルダン川西岸
エルサレム
ガザ地区
シリア
イスラエル
ヨルダン
スエズ運河
シナイ半島
エ ジ プ ト
アカバ湾
サウジ
アラビア
6日戦争後の占領地域

ニッシム：
この戦争で、イスラエルは領土を今までの4倍に拡張したんだ。ヨルダン領だった東エルサレム（旧市街）も20年ぶりに取り返した。

アリ：
この戦争でも、またパレスチナ難民が100万人以上出たんだ。
ほとんどの難民はヨルダン川を渡ってヨルダンに逃げた。
ナセルは戦争に負けた責任をとって、大統領を辞めると言ったんだけど、エジプト国民に引き留められた。

アラファトPLO（パレスチナ解放機構）議長：
６日戦争の後、３度もイスラエルとの戦いに敗れたエジプト、シリア、ヨルダンに頼っていては、パレスチナの郷土は永久に戻ってこないだろうと、われわれパレスチナ人は考え始めた。パレスチナ人が主体となって、イスラエルと戦い、自分たちの手でパレスチナ国家を建設する以外に方法はないのだ。こうして、われわれはパレスチナ人としての民族意識に目覚めた。
われわれは、ゲリラの決死隊を募って、ヨルダン川を渡り、イスラエルの支配地域でゲリラ活動を開始した。
1968年３月21日、イスラエル軍は大軍でゲリラ掃討にやってきた。パレスチナ・ゲリラは貧弱な武器で善戦し、イスラエル軍を追い返した。
イスラエルに対して、アラブ人初の大勝利だった。

ヤーセル・アラファト
(1929〜2004)

アリ：
アラファトはたちまち英雄になって、1969年、ＰＬＯの議長になった。
ＰＬＯ本拠地のヨルダンには、アラブ中からゲリラが集まり、フセイン・ヨルダン国王と対立するようになったんだ。

ねこ：
ＰＬＯってのは、1964年に色々なパレスチナ・ゲリラの組織や、労働組合なんかをまとめてできた組織ニャンだ。だから、穏健派から過激派までいろんなグループがある。
はじめは、イスラエルを国として認めず、テロや武力で解体しようとしてた。でも、だんだん、テロはやめて、イスラエルとパレスチナを分割して、平和に共存しようとする考えに傾いてきたニョだ。

アリ：
1970年９月12日、パレスチナ・ゲリラは、イギリス、スイスなどの西側の旅客機４機をハイジャックして、その内３機をヨルダンの砂漠で爆破した。

若いパレスチナ・ゲリラ：
僕は20年前、ヨルダンの難民キャンプで生まれた。
いまだに、僕と僕の家族は難民キャンプでバラック生活だ。
国連に物乞《ものご》いして、援助された食料で生きているんだ。
世界も、アラブの国々も僕たちのことを忘れている。
ハイジャックは、世界の目を、僕たちの悲惨な現状に向けさせる、唯一の方法だったんだ。

ヨルダン国王フセイン：
ゲリラの基地にしようと、ヨルダンに52ものゲリラ組織が集まってきた。かれらはイスラエルに対して襲撃、爆破、乗っ取りなどのテロ活動を繰り返した。
ヨルダン国内はまったく無秩序な状態になり、王制を倒そうとするゲリラも出てきた。
私にとって、我慢の限界だった。
旅客機爆破事件の４日後、つまり1970年９月16日、私はＰＬＯに宣戦を布告した。

フセイン国王
(1935～1999)

アリ：
ヨルダンとパレスチナ・ゲリラ（ＰＬＯ）……アラブ人同士の戦いの末、負けたＰＬＯはヨルダンを追われ、レバノンに逃れた。
この戦いを調停したのはナセルだけど、ナセルは話し合いの後、心臓麻痺で急に死んじゃったんだ。

ニッシム：
ＰＬＯは、レバノンに移った後も、イスラエルに対するテロをやめなかった。
1972年、日本赤軍がテルアビブの空港で銃を乱射して、26人が死亡した。同じ年、「黒い九月」というグループがドイツで開かれていたミュンヘン・オリンピックを襲い、イスラエル選手を11人も殺した。ＰＬＯ傘下のゲリラは1968年から88年の20年間に、565件もの国際テロをやってるんだ。

参考映画：『ミュンヘン』
2005年アメリカ
スティーブン・スピルバーグ監督

ねこ：
レバノンは1943年、フランスから独立したんだけれど、中東には珍しく、キリスト教徒が多数派の国だ。1300年にもわたるイスラム統治下では、キリスト教もユダヤ教も共存が許されていた証拠だニャ。
人口は330万人、各宗教の人口比によって、大統領はキリスト教マロン派、首相はイスラム教スンニー派、国会議長はイスラム教シーア派、国会議員はキリスト教対イスラム教が６対５と1932年の人口調査をもとに決めていたんだ。
でも、イスラム教徒が増えて人口比は狂ってきた。
そこへ、ＰＬＯが入ってきて、ＰＬＯと組んだイスラム教徒とキリスト教徒の内戦が1975年に始まっちゃったニョだ。

ニッシム：
その後、1982年、イスラエル軍はシャロン将軍の指揮で、レバノン南部にいたパレスチナ・ゲリラをやっつけるという口実でレバノンに攻め込み、ベイルートを占領してＰＬＯを徹底的に攻撃したんだ。攻撃は２ヵ月以上も続きベイルート市民に大勢の犠牲者が出た。アラファトはキリスト教徒の要請を受けて、レバノンを出ていくことにした。
同年８月、１万5000人のパレスチナ・ゲリラを連れてアラファトは受け入れ先のチュニジアに向かったんだ。

ニッシム：
アラファトはベイルートに少しパレスチナ・ゲリラを残していった。
残ったゲリラはキリスト教徒の指導者を殺した。

アリ：
その報復で、キリスト教徒の民兵は、ベイルート郊外の難民キャンプ「サブラ」と「シャティラ」を襲い、パレスチナ難民1500人を虐殺した。キャンプには、老人と子供しかいなかったのに。
シャロン国防相率いるイスラエル軍は、それを見て見ぬフリをしてたんだ。

非難されるべきは
実際に手を下した
奴だけだ！
アリエル・シャロン国防相
(2001年より
イスラエル首相)
(1928～　)

第４次中東戦争とサダト

ナセルにサダトという有能な後継者がいたことは、エジプトにとって、また結果的に、イスラエルにとっても幸運なことだった。
サダトは、大義やメンツ、憎しみなどに捕らわれずに現実を的確につかみ、外交の手段として第４次中東戦争を戦った。

アリ：
ヨルダン内戦を調停した後、ナセルが死んじゃったのは話したよね。
副大統領だったアンワール・サダトがその後を継いだんだ。あんまり有名じゃなかったので、すごい知将だってことは誰も知らなかった。みんなナセルの路線を継ぐものだと思ってた。ところが、サダトはソ連寄りの路線を捨ててアメリカに近寄って、アメリカの助けで、占領されていたシナイ半島を取り戻そうと考えた。

アメリカはベトナム戦争で手一杯です。よっぽどの危機的状況にならなければ中東問題に介入する考えはない。

ヘンリー・キッシンジャー
(1923～　)
ニクソン、フォード政権の補佐官、国務長官として、ベトナム休戦協定や中国との関係修復に貢献した

それでサダトはイスラエルに、占領地から撤退して、パレスチナ人に自治を認めれば、和平協定を結んでもいいと提案したんだ。
でも、イスラエルのゴルダ・メイア首相には１平方センチだって占領地を返す気はなかった。
エジプトの名誉を守るために、サダトに残された道は戦争しかなかった。

パレスチナ人なんて存在しないわ。
だから、パレスチナ問題も存在しない。私たちは無人の荒野に国を造ったのよ。

ゴルダ・メイア
イスラエル首相
(1898～1978)

アリ：
1973年10月６日、イスラエルの祝日（贖罪《しよくざい》の日）にシリア軍と示し合わせたエジプト軍は一気にスエズ運河を渡ってシナイ半島のイスラエル軍に攻撃を始めた。これが第４次中東戦争、「十月戦争」とも「ヨム・キプール（贖罪の日）戦争」とも呼ばれてる。

ニッシム：
イスラエルもアメリカも、本当にサダトが戦争を仕掛けてくるとは思ってなかったんだ。

アリ：
北からは、シリア軍の戦車がゴラン高原に殺到した。
奇襲は成功した。イスラエル空軍が反撃しようとしても、エジプト軍は、対岸に配備されたソ連製ミサイルに、運河から12キロまではしっかり守られていて、反撃できなかった。

ニッシム：
エジプト軍の進撃は、そのミサイルで守られている線でピタッと止まった。おかげで、イスラエルはシナイ半島にいた部隊をゴラン高原に向けることができて、なんとか防衛することができたんだ。

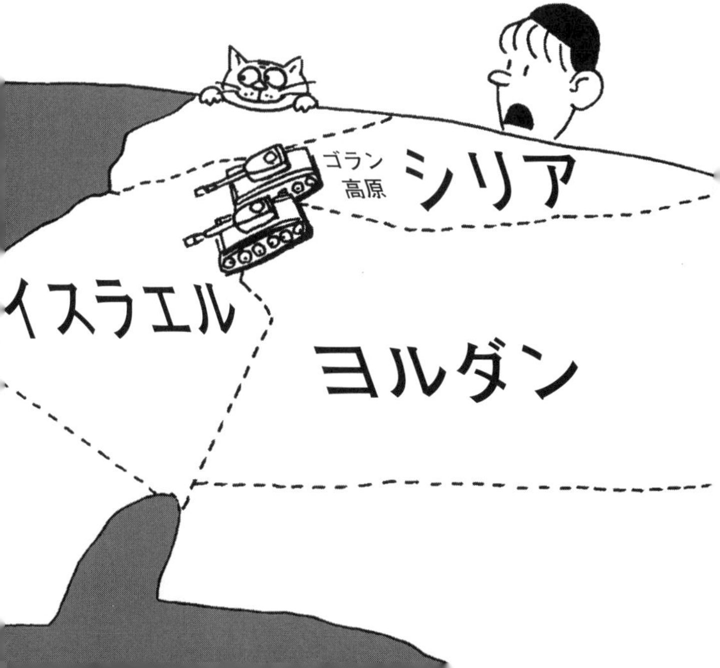

アリ：
空軍力が弱いエジプト軍の戦車部隊は、ミサイルに守られていなければ裸同然。イスラエルの戦闘機のいい餌食《えじき》になっちゃう。それで進撃を止めてたんだけど、ゴラン高原で苦戦に陥ったシリア軍が、もっと進撃するように言ってきた。ソ連もそうするように圧力をかけてきた。
サダトはしようがなくなって、進撃を命じたけど、ミサイルに守られてない戦車隊はやっぱり弱かった。3時間で250台もの戦車がイスラエル軍にやっつけられちゃった。

ニッシム：
イスラエル軍は反撃を開始した。
シャロン将軍（2001年より首相）が率いる部隊はスエズ運河を渡って後ろに廻り、シナイ半島にいたエジプト軍を孤立させた。
イスラエルの反撃が成功するのを待って、アメリカは停戦を提案したんだ。

サダト大統領：
エジプト軍の進撃を止めたのは、はじめからの作戦だ。私はシナイ半島全体の奪還も、ましてやイスラエル軍を撃破してイスラエルを抹殺《まつさつ》することなど、まったく考えていなかった。イスラエル軍不敗の神話を破れば、イスラエルもアメリカも和平に無関心でいられなくなる。そのためには、はじめにイスラエル軍をあれだけ打ち負かせば十分だった。私の目的は、戦争に勝つことではなく、アメリカを仲介役にして、イスラエルと和平合意に達することだった。いわば、和平を手に入れるために戦争をしたのだ。

アンワール・サダト
(1918～1981)

ニッシム：
第４次中東戦争の後、戦争の失敗の責任でゴルダ・メイア内閣が倒れて、占領地を返すなんてとんでもないと思ってるタカ派のメナヘム・ベギンが首相になった。

ヨルダン川西岸もガザ地区も、占領地ではない。
神に約束された地で、われわれが解放した土地なのだ。
イスラエルの領土の一部なのだ。
ゴラン高原
シリア
ヨルダン川西岸
エルサレム
ガザ地区
スエズ運河
イスラエル
ヨルダン
シナイ半島
エジプト
アカバ湾
サウジアラビア
メナヘム・ベギン
(1913〜1992)

アリ：
ベギンには占領地を返す気など全然なくて、シナイ半島にも入植地をどんどん造り始めた。
和平交渉に行き詰まったサダトは1977年11月、イスラエルに行って直接ベギンと交渉することにしたんだ。
勇敢だろ！
アラブの首長がイスラエルを訪れるというのは、それまであり得ないできごとだったんだ。
だって「イスラエルに公式に行く」ってことは、「イスラエルという国の存在を認めている」ってことだからね。

ニッシム：
サダトはイスラエルで大歓迎された。
イスラエルの国会で、占領地からの撤退と、パレスチナ人の自治権を認めることが条件の和平案を訴えたけれど、ベギンはまともに応えなかった。

ねこ：
この戦争で、アラブ側は石油を武器として使ったんニャ。アラブ諸国から石油を輸入している国を、敵対国、非友好国、友好国の３つに分類して、友好国だけに石油を売ると言ったんニャ。
同時にＯＰＥＣ（石油輸出国機構）は原油価格を４倍にした。石油にエネルギーを依存する先進国も、外貨のない第三世界の国々もこれには困った。これをオイル・ショックと言うのニャ。
日本は非友好国に分類されて、あわててアラブ寄りの政策に方向転換したんニャ。それでも、日本経済は大打撃を受けて、翌1974年には戦後はじめてのマイナス成長を記録する。

キャンプ・デービッド合意

さすがの知将サダトでも、ひとりでは和平は実現できない。敵対し、コンタクトを失ったエジプト・イスラエル両国に話し合いの場を与える仲介者の存在が不可欠だった。この役を、ニクソン、フォードの後、米大統領になったカーターが引き受けた。

カーター米大統領：
イスラエルへ行って直接ベギン首相と交渉したものの、和平交渉は暗礁《あんしょう》に乗り上げ、サダト大統領はアメリカに仲介役を頼んできました。
1978年９月、私はイスラエル、エジプトの政府高官をメリーランド州にある大統領の別荘、キャンプ・デービッドに呼び、私やアメリカ政府担当官も交えて、12日間にわたり、両国の和平の条件を話し合いました。

ジミー・カーター
(1924～　)

この会議で、エジプトがイスラエルの存在を認め、国交を持つ代わりに、イスラエルはシナイ半島を返還し、ガザ地区、ヨルダン川西岸のパレスチナ人に行政自治権を認めるという合意に達しました。
この合意をもとに、1979年３月26日、ワシントンのホワイトハウスでエジプトとイスラエルの平和条約が結ばれたのです。
この条約を成立させた功績により、サダト大統領とベギン首相はノーベル平和賞を受賞しました。
私はもらえなかったけれど……（大統領退任後の、北朝鮮やキューバに対する外交活動で、2002年ノーベル平和賞受賞）。

アリ：
パレスチナ人もアラブ諸国も、この平和条約に満足しなかった。
エジプトはシナイ半島を取り戻すために、パレスチナを売り渡し、イスラエルと手を結んだと思われ、アラブ社会から裏切り者として村八分にされた。
サダトは1981年10月６日、十月戦争の勝利を祝う軍事パレード中に、イスラム過激派に暗殺されちゃったんだ。

天国のサダト：
われわれエジプト軍が中心となり一番の犠牲を払いながら４度のイスラエルとの戦争を戦ってきたのだ。これ以上の負担にはエジプト社会は耐えられないだろう。イスラエルが、公式には認めていないが、核兵器を保有している現在では、武力によってイスラエルを抹殺しようとする「アラブの大義」は現実性を持たない。
われわれが合意したパレスチナの自治はいまだに達成されていないが、エジプト、イスラエル間の和平は現在でも継続している。今後のイスラエル、アラブの共存のモデルとして後の政治家、歴史家に必ずや評価されるものと信じている。戦争、テロ、報復の悪循環を断ち切って、なんとか平和を手に入れてもらいたい。
Good luck!

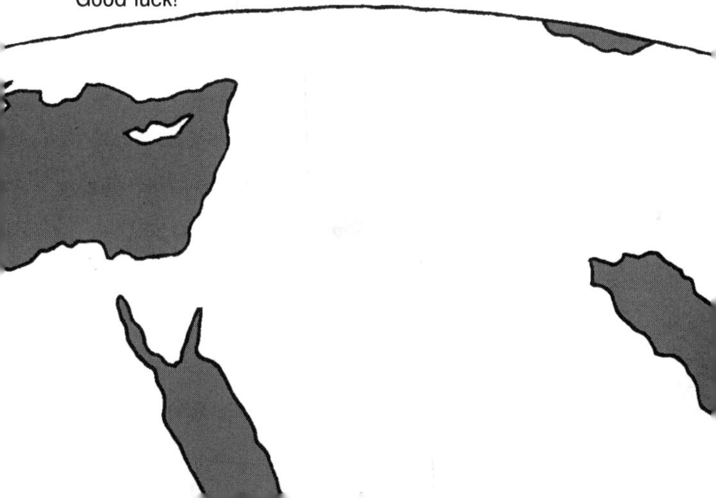

インティファーダ

1970年代後半から80年代にかけて、中東情勢は激変する。
親米国だったイランのパーレビ王朝がイスラム革命によって崩壊する。サダム・フセインがイラクの大統領に就任し、反イスラム革命を掲げて、イランと戦争を始める。ソ連がアフガニスタンに軍事介入するが、ムジャヒディーン（イスラム戦士）に敗退する。
パレスチナではインティファーダ（民衆蜂起《ほうき》）が起こり、PLO が力をつけ、国際的に認知される。
ハマス（パレスチナ）、ヒズボラ（レバノン）、アルカイダ（アフガニスタン）などのイスラム過激派が次々と結成される。
現在の中東の諸問題と、その役者がこの時期に出揃うのだ。

ねこ：
ここでちょっと1970年代から80年代にかけての中東の国々の状況を見てみよう。
まずはイランだニャ。70年代の冷戦中、アメリカはトルコ、イラン、パキスタンを支援して、ソ連を封じ込める防衛ラインにしていたんニャ。
イランのパーレビ王朝はＣＩＡ（アメリカ中央情報局）、要するにアメリカのスパイ組織によって作られた政権で、石油の儲《もう》けでどんどん武器を買って、湾岸の憲兵と呼ばれるほどの軍事国家になっていたんニャ。

急速な西欧化と秘密警察による恐怖政治に、国民の不満が爆発、1979年にイラン・イスラム革命が起きて、パーレビ王朝が倒されるのニャ。
この革命を指導していたのが、パリに亡命していたイスラム教シーア派の法学者アヤトラ・ホメイニーだった。
ホメイニーは革命が成功すると、パリからイランに帰国して最高権力者にニャった。
ホメイニーは、アメリカはイスラム文化を汚す大悪魔だと言い、イスラムの国々にイスラム革命に参加するように呼びかけた。それに応えて、イランの学生たちは53人の大使館員を人質にとって、14ヵ月間もアメリカ大使館を占拠したんニャ。
この人質を取り返そうと、カーター米大統領は特殊部隊をイランに派遣するけど、輸送機とヘリコプターが砂嵐に巻き込まれ、衝突して墜落、作戦は失敗した。
この事件でカーターは人気を失い、翌年の大統領選でレーガンに敗れたんニャ。

アメリカは大悪魔である。その手下のイスラエルはこの世から消滅しなければならない。

アヤトラ・ホメイニー
(1900～1989)

ねこ：
一方イラクでは、イラン革命と同じ年、1979年にサダム・フセインが大統領になる。
イランと国交を断絶したアメリカは、反共とイスラム革命の防波堤としてイラクに注目したんニャ。
フセインは革命のゴタゴタに乗じて翌80年、イランを攻撃する。これが「イラン・イラク戦争」。
イラン国民は愛国心を奮い立たせて反撃し、戦争は長期化して、イラクは負けそうになるんニャ。反米イスラム革命が湾岸諸国に広がることを恐れたアメリカは、積極的にイラクを支援し始める。フセインも石油で儲けたドルで、世界中から武器を買いまくり、急激に軍事大国になっていくんニャ。

サダム・フセイン
(1937～　)

イラクには武器でも細菌でも、何でも売ってやった。それがイラクに大量破壊兵器開発能力を与えてしまったんだが、イラクをこの戦争に勝たせて、イランの反米イスラム革命を止めるには仕方なかった。

ロナルド・レーガン米大統領
(1911〜2004)

ねこ：
この戦争の末期、フセインは毒ガスを使って、イラン軍に協力したクルド人（トルコ、イラン、イラクにまたがって住んでいる少数民族。人口は2500万人くらい。ヨーロッパ系の言語、クルド語を話す）5000人を殺したんニャ。
1988年、８年にわたる無意味な戦争に疲れ切った両国は、国連の停戦決議を受け入れたニョだ。

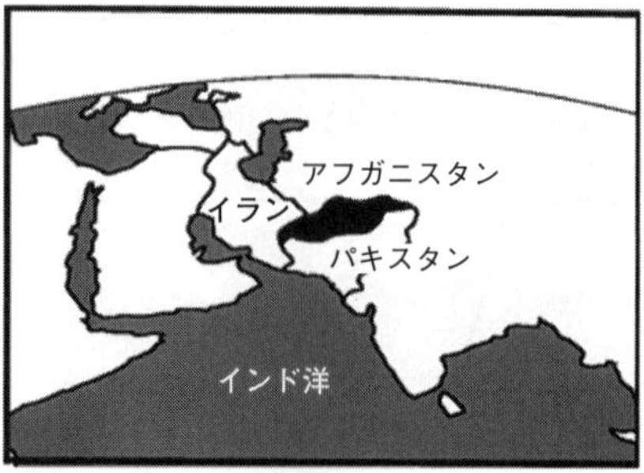

ねこ：
次にアフガニスタンを見てみよう。
アフガニスタンってのは、色々な民族が複雑に入り交じった国で、長い間王制だった。1973年にクーデターが起きて共和制になり、78年に共産主義的な政権ができたんニャ。政府は宗教指導者を弾圧したり、イスラムの習慣を無視して共産主義的な改革を行った。当然各地に反乱が起こる。そこで、親ソ政権を守ろうとして、79年にソ連が軍事介入するんニャ。
ソ連軍の実力をもってすれば、２～３週間で片づくとブレジネフ書記長やソ連政府は思っていたんだけど、実際はムジャヒディーン（イスラム戦士）の抵抗にあって、10年間も泥沼にはまっちゃったんニャ。
ゴルバチョフ書記長の代になって、ナジブラ傀儡《かいらい》政権を作って1989年にやっと撤退したときには、1万3000人の将兵を失っただけじゃなく、ソ連自体もダメージを受けて瀕死《ひんし》になって91年、ソ連は解体しちゃうんニャ。

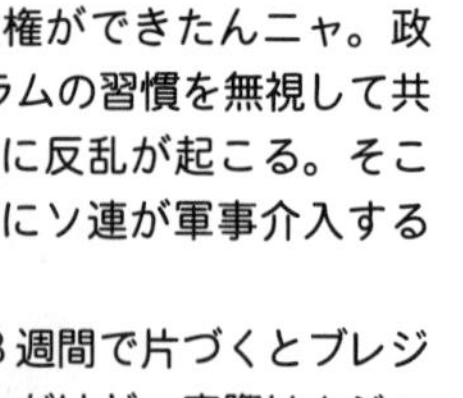

ソ連共産党書記長ゴルバチョフ：
ナジブラ君、私たちはもう帰るけどこの魔法のランプを置いていくから、ムジャヒディーンが出てきたら、大魔神によくお願いして……。

ミハエル・ゴルバチョフ
(1931〜　)
モハマッド・
ナジブラ
(1947〜1996)
MOSCOW

ねこ：
アフガン戦争では、アメリカは反ソ・ゲリラを支援して、戦闘訓練を施し、武器もどんどん与えたんニャ。反ソ・ゲリラの中にはサウジアラビア出身のオサマ・ビン・ラディンもいた。ビン・ラディンは、その時訓練されたゲリラを集めてテロリストグループ「アルカイダ」を作った。彼らはアフガニスタンからソ連を追い出すことに成功すると、テロの矛先を反イスラム的なアメリカに向け、世界規模のテロリスト・ネットワークを作りだしたんニャ。2001年９月11日にニューヨークの世界貿易センタービルに旅客機を突っ込ませたのも、「アルカイダ」ニャのだ。

アリ：
アラブ・ゲリラだろうが、サダム・フセインだろうが、アメリカと敵対している国と戦う奴なら、アメリカは見境なく支援して、ガンガン武器を与える。そいつらがアメリカにもらった武器で、次はアメリカに戦いを挑んでくる……。
アフガン戦争でも、イラン・イラク戦争でもいつも同じパターンじゃないか。こんな単純なことを、どうしてアメリカは学習しないで、性懲《しょうこ》りもなく繰り返すんだろう。

ニッシム：
一度あげちゃった武器は二度と回収できないし、ゲリラとして訓練されちゃった人は、その戦争が終わっても、普通の人には戻れない。多くのゲリラは次の戦争を求めて国境を越えるんだ。

フセイン・イラク大統領
ブッシュ（父）米大統領とミッテラン仏大統領

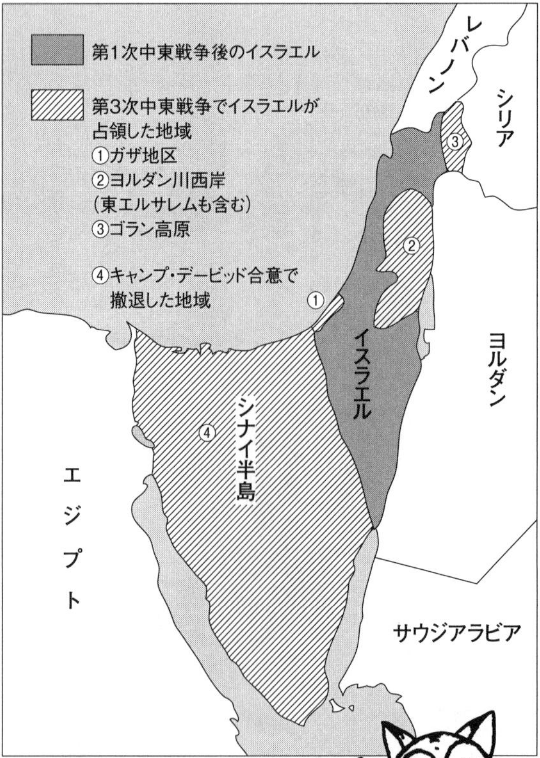
第1次中東戦争後のイスラエル
第3次中東戦争でイスラエルが
占領した地域
①ガザ地区
②ヨルダン川西岸
(東エルサレムも含む)
③ゴラン高原
④キャンプ・デービッド合意で
撤退した地域
レバノン
シリア
イスラエル
ヨルダン
シナイ半島
エジプト
サウジアラビア

ねこ：
さて、話をパレスチナに戻すと……、1947年に国連がパレスチナ分割決議案を採択して、48年にイスラエルが建国宣言をすると、周辺のアラブ諸国がイスラエルを攻撃、第１次中東戦争が始まった……ってのはもう話したニャ。
イスラエルはこの戦争に勝って、国連が決めた以上の国土を手に入れた。この第１次中東戦争の停戦ラインが「グリーンライン」と呼ばれて、国際的にイスラエルの国境線と見なされているニョだ。

その後の戦争で、イスラエルは①ガザ地区、②東エルサレムを含むヨルダン川西岸、③ゴラン高原、④シナイ半島を占領した。その内、シナイ半島からはキャンプ・デービッド合意にしたがって1982年までにイスラエル軍は撤退してエジプトに返した。しかし、ほかのところは、占領地からのイスラエル軍の撤退を求める1967年の国連決議を無視して占領を続け、しかもだニャ、入植地をどんどん建設して……、パレスチナ人から土地を取り上げて、イスラエル人の村を造っている。つまり、占領地を返還する気はないと、態度で示しているニョだ。

アリ：
1967年から、ずーっとイスラエル軍に占領されて、和平や解放の望みがない占領地のパレスチナ人は、フラストレーションが溜まってた。
1987年12月８日のことだった。イスラエル軍のトラックがガザで交通事故を起こして、パレスチナ人が４人死んじゃったんだ。怒ったパレスチナの18歳の少年がイスラエル軍に石を投げた。そしたら、イスラエル軍は本気で発砲してその子を殺しちゃったんだ。
この事件がきっかけになって、子供や若者たちは、イスラエル兵を見ると石を投げるようになった。だんだん大人たちも参加するようになって、ストやデモもやるようになった。このイスラエルの占領に対する抗議運動は、「インティファーダ」と呼ばれて、ヨルダン川西岸の占領地にも拡がっていったんだ。

イスラエル軍司令官ミツナ将軍：
インティファーダはイスラエル軍の占領に抗議する自然発生的な運動で、当初は組織化されたものではありませんでした。当時、チュニジアのチュニスにいたＰＬＯにも、われわれにも、誰が指揮をとっているのかわかりませんでした。
子供や若者がイスラエル兵に対して石や、せいぜい火炎瓶を投げてくるだけなので、鎮圧するのに武器は使えません。イスラエル軍が誇るジェット戦闘機も戦車も、彼らに対しては無力なのです。ゴム弾、催涙弾、主に棍棒《こんぼう》を使って対処するしかありません。兵士たちも、戦場で武装した敵と戦う訓練はされていても、石を投げてくる子供の扱い方は訓練されていません。インティファーダを鎮圧するために、われわれは子供や若者を殴り、大量に拘束し、指導者と目された人の家を爆破しました。われわれイスラエル兵にとっても胸が痛くなる光景でした。

アムラム・ミツナ
(1945～　)
軍退役後、ハイファ市長、労働党党首などを歴任

ニッシム：
ぼくもあと３年で徴兵される。でも、丸腰のパレスチナの子供をなぐるなんてとてもできないよ。

ねこ：
石を投げたというだけで、丸腰の子供や青年がイスラエル兵にガンガン殴られている映像が、ニュースとして世界中に流された。テロリストの温床《おんしよう》としか見られていなかったパレスチナ人社会が、これほど同情をもって世界に受け入れられたことは、かつてなかったんニャ。
ＰＬＯは、これを好機と見て、和平とパレスチナ独立のきっかけにしようと、思い切った行動に出た。
1988年12月、アラファトが国連に行って、次のように発言したんニャ。

アラファトＰＬＯ議長：
われわれは、イスラエルの生存を認め、今後いかなるテロ行為も放棄することを、ここに公式に宣言します。

湾岸戦争

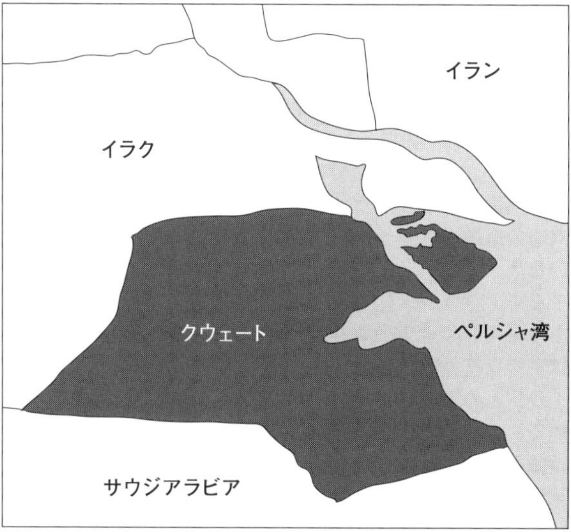

1990年、イラクがクウェートを侵略、占領して湾岸危機が始まる。
アメリカに率いられた多国籍軍が近代兵器を駆使してイラクを攻撃。91年2月28日、イラクが無条件降伏して湾岸戦争は終結する。
ソ連との冷戦が終わり、この戦争はパックス・アメリカーナ（アメリカ一国が支配する平和）の試金石となった。

ニッシム：
1990年8月2日、イラク軍は戦車でクウェートに侵攻して占領するよネ。どうして、フセインはそんなムチャなことをしたんだろう？

アリ：
イランとの戦争の後、フセインは戦争に勝った、勝ったと国民に言いふらしたんだ。それでイラク国民はとても喜んでた。ところが、獲得した領土もなければ、イランからの賠償金もない。戦争の借金で首も回らないから、復興も進まない。国民の不満が募ってたんだ。それに、100万を超える兵隊の処遇にも困ってた。全員失業者にするわけにもいかないしネ。
そこで、クウェートに目を付けた。オスマン・トルコ時代、クウェートはイラクの一部だったので、併合しても国際社会は文句を言わないだろうとフセインは思ったんだ。
イランとの戦争では、アメリカもヨーロッパもイラクに友好的で、大量に武器援助をしてくれたし、ペルシャ湾岸アラブ諸国も経済援助してくれた。なんてったって、イランの「イスラム革命」がアラブ産油国に拡がるのをイランと戦って防いだっていう貸しがあるんだ。クウェートくらい占領したって世界は目をつぶってくれるとフセインは踏んだんだ。

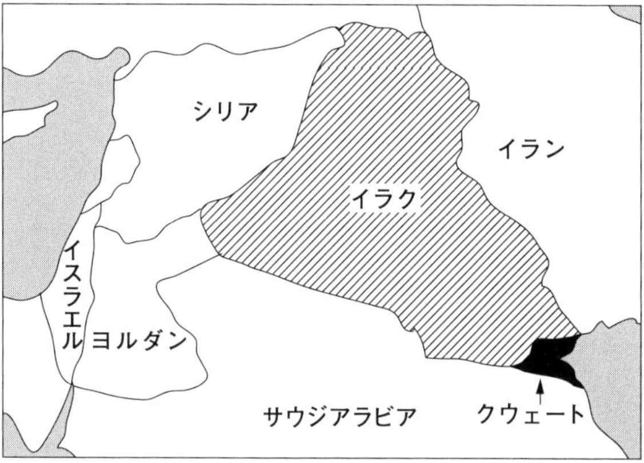

ねこ：
フセインはちょっと読みが甘かったニャー。
イラクがクウェートを併合すると、世界の石油埋蔵量の２割も支配することにニャる。
それに、放っておくと、フセインは次にサウジアラビアや他の小さな産油国を狙うかもしれない。アメリカをはじめ、世界がそんなことを許す訳がニャイのだ。
国連は、すぐイラクにクウェートからの無条件撤退を求める決議をし、経済制裁することにしたんニャ。

サダム・フセイン：
国連決議に反して、パレスチナを20年以上占領し続けるイスラエルになーんも制裁を加えずに、わしらのクウェート占領ばかり非難するのは不公平やないか。差別とちゃうか。イスラエル軍が占領地から撤退しよったら、わしらも喜んでクウェートから撤退させてもらいますわ。

アリ：
このフセインの発言を、パレスチナ人たちはとっても喜んで、フセインを、自分たちを現在の悲惨な状況から救い出す英雄じゃないかと考えたんだ。だから、アラファトもＰＬＯもフセインを支持した。だけど、湾岸アラブ諸国は、アラファトとＰＬＯのフセイン支持にカンカンに怒って、ＰＬＯに対する資金援助を止めただけじゃなく、自分の国に出稼ぎに来ていたパレスチナ人を追い出し始めたんだ。
せっかく、インティファーダで世界の注目と同情を集めたのに、フセイン支持で、アラファトとＰＬＯはアラブ諸国や国際世論の反感を買い、経済的支援もなくしちゃった。

ブッシュ（父）米大統領：
1991年１月17日、国連決議に基づき、アメリカ軍を中心に結成された多国籍軍はイラクに空爆を開始した。２月24日に、私はアメリカ軍に地上戦の開始を命令した。フセインの大言壮語にもかかわらず、イラク軍の士気は低く、投降する者約３万、ほうほうの体《てい》でイラク軍はクウェートから逃げ出した。27日に、私はクウェートの解放を宣言して、地上戦は100時間で終結した。米軍の中には、イラク本土まで進軍して、フセインの息の根を止めるべきだとの意見もあったが、国際世論を味方につけての国連決議に基づく「正義の戦い」としては、クウェート解放までしかできなかった。
放っておいても、フセイン政権は自壊するだろうとのわれわれの予想に反して、フセイン政権はその後10年以上も生き延びた……私の政権よりずっと長く。

ジョージ・H・ブッシュ
（1924～　）

この戦いに、日本は自衛隊は派遣せず、莫大な戦費を負担したにとどまった。
血も汗も流さない「小切手外交」だと批判を浴びた。この国際的批判が、後のイラク戦争への自衛隊派遣につながる。

ニッシム：
この戦争にイスラエルは参戦しなかったのに、フセインはイスラエルにスカッド・ミサイルを何発も打ち込んできたんだ。
毒ガスか細菌が入ってるんじゃないかと、とっても恐かったよ。
でも、イスラエル軍は反撃しなかった。
イスラエルが反撃すると、たちまち「アラブ対イスラエルの聖戦」になっちゃって、アラブ諸国はフセイン側に立って戦うことになるじゃない？　それがフセインの狙いだったし、ブッシュが一番恐れていたことだったんだ。

オスロ合意

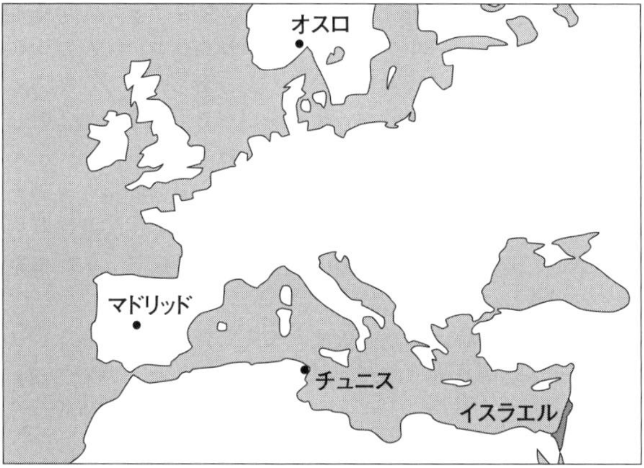

1991年、イラクとの湾岸戦争に勝利したブッシュ（父）米大統領はパレスチナ問題の解決に乗り出す。同年10月30日、米政府の主導でマドリッドで中東和平会議が開かれ、その後ワシントンで交渉は続けられる。
これに並行して、ノルウェーのオスロでイスラエルとＰＬＯの秘密和平交渉がもたれ合意に達する。
「オスロ合意」は93年ホワイトハウスで調印され、それまでチュニスに亡命していたアラファト、ＰＬＯは晴れてガザ地区に帰還し、暫定政府を作る。

イスラエル首相シャミル：
イラクをやっつけると、ブッシュのオッサンはパレスチナ問題に首を突っ込み始めた。中東における「パックス・アメリカーナ」を完成しようとしたんだな。
1991年10月30日、ブッシュの肝煎《きもい》りでマドリッドで中東和平会議が開かれ、ヨルダン、シリア、レバノン、エジプトに加えてパレスチナの代表も参加した。しかし、アラファトもＰＬＯも参加させなかった。彼らテロリストが来れば、わしらイスラエルは交渉の席に着かんからね。
会議の要点は、ブッシュが言う「Land for Peace（土地と平和の交換)」、つまり、イスラエルが占領地から撤退すれば、アラブ諸国はイスラエルの生存権を認めて、テロをやめ、和平を結ぶというものよ。
しかし、わしには占領地を返そうなんて気はさらさらない。だいたい、あの土地は神がユダヤ人に約束した土地で、占領地なんてものじゃない。もともとアラブ人の土地じゃなかったのよ。

イツハク・シャミル
(1915〜　)

アリ：
シャミルがこの調子だから、マドリッドでは大した成果が挙げられなかったんだ。

ニッシム：
でも、アラブ諸国とパレスチナの代表が出席する和平会議のテーブルにイスラエルが着いただけでも大前進なんだよ。それに、占領地返還の問題については、その後もワシントンで交渉が続けられたんだ。

ニッシム：
1992年、パレスチナ、アラブ諸国との和平を成立させると公約したイツハク・ラビンが、イスラエルの首相に選ばれる。
実は、ワシントンでのパレスチナとの和平交渉と並行してノルウェーのオスロでＰＬＯとの秘密交渉が続けられていたんだ。シモン・ペレス外相の説得に応じて、ラビン首相がこの秘密交渉にゴーサインを出し、合意が成立する。この「オスロ合意」の調印式が1993年9月13日、ホワイトハウスで行われたんだ。

アブラハムの子供達、イサクとイスマエルの子孫（ユダヤ人とアラブ人）は、今手を取り合い勇敢な旅を始めました。今日、私たちは心をひとつにして呼びかけます、「シャローム、サラーム、ピース（ヘブライ語、アラビア語、英語の〝平和〟）」
ビル・クリントン米大統領（1946～　）
イツハク・ラビン・イスラエル首相（1922～1995）
アラファトＰＬＯ議長

クリントン米大統領：
私にとって、オスロ合意の調印式をホワイトハウスで開催できたことは、まったくのタナボタだった。
ブッシュ（父）前大統領が始めたマドリッド会議と、それに続いたオスロ秘密交渉の成果で、私は何もしていないんだ。
オスロ合意の成立が評価されて、ラビン・イスラエル首相、ペレス外相、アラファトＰＬＯ議長がノーベル平和賞を受賞。さすがにこの賞ばかりはタナボタとはいかず、私はもらえなかった。

アラファトとラビンが握手するなんて、
夢見てるみたいだ！

ねこ：
オスロ合意をざっと説明すると、まず、調印に先立って、ＰＬＯがイスラエルの生存権を認めて、テロを止める。イスラエルもＰＬＯをパレスチナの代表と認める。
調印後、ガザとエリコでのパレスチナ人の暫定自治を認め、２年後から、「難民帰還の問題」「エルサレムの帰属」「入植地の処理」などの問題の話し合いを始める……というものなニョだ。
難問は全部積み残したけれど、おれは歴史的な前進だと思うニャ。
でも、イスラエルにも、パレスチナにも、不満な連中は大勢いたニョだ。

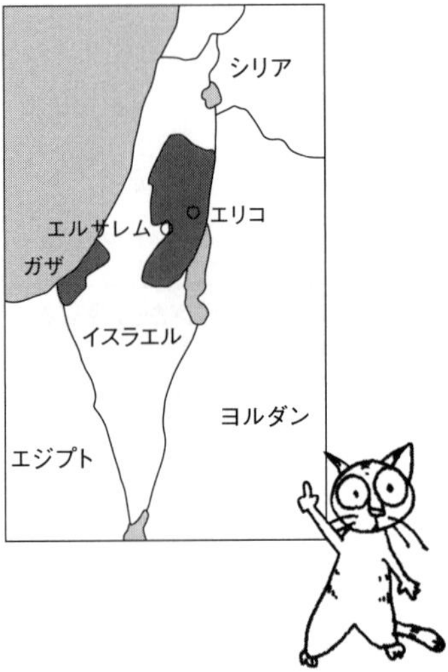

アリ：
アラファトがチュニジアからガザに帰って来たのは1994年7月1日のことだった。
広場に集まった7万人のパレスチナ人は、パレスチナの国歌を唄い、国旗を振って踊った。
アラファトが地面にキスをして、パレスチナ国家樹立の約束をすると、人々は「私たちの心と血をあなたに捧げます」と口々に叫んだんだ。

その３ヵ月後、ガザの青年：
僕はインティファーダの時、イスラエル兵に石を投げて投獄されたことがあるんだ。
暫定自治政府ができて、アラファトが帰ってきた時には興奮したよ。これで自由になれる、イスラエル兵の無法ともお別れだってね。
でも、今になってわかったんだ。ＰＬＯもアラファトも単なるゲリラとその親分でしかない。戦乱の中で生き延び、組織を守るのはうまいけど、民主主義国家をゼロから造り上げる力量はないってね。
それに、彼らは10年以上チュニジアにいて、やっとガザに帰ってきたばかりで、ガザやヨルダン川西岸の占領地に住んでるパレスチナ人の心や生活がわからなくなっている。

しかもアラファトやＰＬＯ幹部達は国際援助をちょろまかし、下っ端のパレスチナ警官……元のゲリラたちだけど……は、僕たちパレスチナ人に何かというと賄賂を要求するんだ。
奴らはアメリカやイスラエルの手先になって、「ハマス」など、イスラエルにテロ活動をする過激派を捕まえる。そればかりか、自治政府の無能や腐敗を指摘したり、批判したパレスチナ人も捕まえるんだ。
まともな裁判は行われず、軍事裁判しかない。最終的にはアラファトが判断する。ひどい独裁なんだ。
おまけに、経済活動をイスラエルに押さえられているから、経済を発展させようがない。ガザにはろくな仕事がなくて、失業率は60％近い。しかも、仕事を求めてイスラエルに行ったり、外国に行ったりする自由もない。
こんな風に、僕たちの生活や生活環境はアラファトが帰って来ても、ちっとも良くならない。それどころか悪くなってるくらいだ。今度は自治政府に向かって石を投げなきゃと思ってるんだ。

ヒデーもんだニャー

イスラエル・ペレス外相、首相
(1923〜　)

ニッシム：
1994年7月25日、ヨルダンとイスラエルは和平協定を結んだ。ラビン首相は、シリアとの和平交渉も進めていたんだ。
1995年11月4日の夜、イスラエルの和平推進派はテルアビブで集会を開いていた。ラビンやペレスも参加してて、「平和の歌」を唄い終わった時だった。
和平反対のユダヤ人の男が、ピストルでラビンを撃ったんだ……弾はラビンの心臓と、「平和の歌」の歌詞カードを貫いた。

ペレス、後は
まかせたぞ！
エジプト・サダト大統領
1981年暗殺
イスラエル・ラビン首相
1995年暗殺

ペレスが後を継いで首相になり、和平路線をさらに推し進めた。
1996年の総選挙はペレスが圧勝すると言われていたんだ。でも、ペレスは過ちを犯した。パレスチナのイスラム過激派「ハマス」の指導者のひとりを暗殺しちゃったんだ。
ハマスは報復として、通勤バスに次々と自爆テロ攻撃をしかけた。テロのたびにペレスは支持率を落として、和平反対派のベンヤミン・ネタニヤフに負けちゃった。
シリアとの和平交渉も流れちゃった。

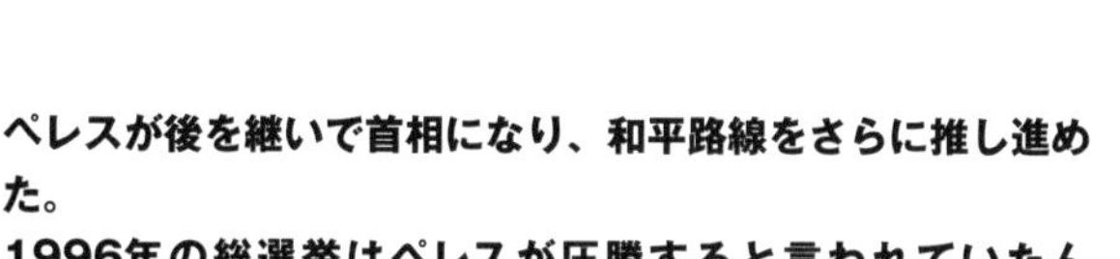
平和を作りだすのは大変！
でも、壊すのは簡単、
一発の銃弾か爆弾があれば
いいんニャ！

第2インティファーダ

嘆きの壁と岩のドーム

城壁に囲まれたエルサレム旧市街の東側に「神殿の丘」はある。丘の西側の壁はユダヤ教第一の聖地「嘆きの壁」で、丘の上にはイスラム教第三の聖地、黄金に輝く「岩のドーム」と「アルアクサ・モスク」がある。1000年以上もユダヤ教とイスラム教が平和に共存してきた「平和の都」(エルサレムのヘブライ語での意味)の象徴であるが、現代の最大の紛争点となっている。

クリントン米大統領：
1999年、和平反対派のネタニヤフを破り、和平推進派のバラクがイスラエル首相になった。そこで、私は積極的に仲介役を買って出て（うまくまとめればノーベル賞ものだものね）2000年の７月にオスロ合意に続く和平交渉をアメリカで開くことにした。
バラクは「ガザ地区のすべて、ヨルダン川西岸の92％をパレスチナに委譲する」とか、「エルサレム旧市街の分割統治を認める」とか、私もビックリするほど譲歩した。しかし、アラファトはいっさい妥協は見せず、エルサレムの主権を巡って交渉が暗礁に乗り上げたので、一旦交渉を中断した。

ねこ：
エルサレムは三大宗教の聖都だから、聖地や遺跡、教会、シナゴーグ、モスクがひしめいている。城壁に囲まれた旧市街は、下の図のように５つの区域に分かれてるんニャ。
キリストがはりつけにされたゴルゴタの丘はキリスト教徒地区にあり、聖墳墓教会が建っている。神殿の丘の西側には、ＡＤ70年に破壊されたエルサレム第二神殿の遺跡で、ユダヤ教第一の聖地「嘆きの壁」がある。丘の上には、イスラム教第三の聖地、モハメッドがその岩から昇天したと言い伝えられている「岩のドーム」や「アルアクサ・モスク」がある。それで、イスラエルもパレスチナも、丘の主権を譲るわけにはいかないニョだ。

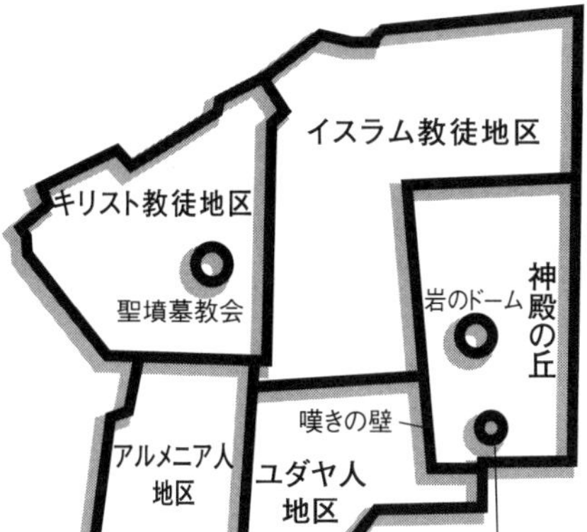

アリ：
2000年９月28日、和平交渉の中断中に、和平反対派のシャロンは大勢の武装警官に守られて「神殿の丘」に足を踏みいれたんだ。聖域を踏みにじられたと思ったパレスチナ人は怒って石を投げ始めた。これが第２インティファーダのそもそもの始まりなんだ。この第２インティファーダもあっと言う間にパレスチナ全体に拡がっていった。

シャロン（タカ派リクード党党首、2001年から首相）：
バラクはアラファトに妥協しすぎだ。
エルサレムはイスラエルの永遠の首都だ。分割するだの、主権を委譲するだの、とんでもない話だ。

ねこ：
この和平交渉を潰そうとしたシャロンの挑発に、パレスチナ人がまんまと乗ってしまったニョだ。その結果が第２インティファーダなんだが、前のインティファーダで国際世論を味方につけて味をしめたアラファトは、このインティファーダの再発で、自分の立場がまた強くなったと読み違えたんニャ。
2001年１月に再開された和平交渉で、バラクが占領地の96%を返還すると提案したのに、強気になったアラファトはこれもまた蹴ってしまう。
和平とパレスチナ独立国家樹立の歴史的好機を逃してしまっただけじゃない、以後さらに激しくなった過激派のテロとイスラエル軍の報復の連鎖で、さらに千数百人もの命が失われたんニャ。

エフド・バラク・イスラエル首相（1942～　）

ニッシム：
2001年２月の選挙で、和平交渉に失敗したバラクは、シャロンに完敗しちゃった。
おまけに、新しくアメリカ大統領になったブッシュ（息子）は、クリントンと違って、パレスチナ問題の解決に全然関心を示さなかった。

アリ：
シャロン政権が生まれると、過激派の「ハマス」や「イスラム聖戦」は、イスラエルに対するテロをさらに活発化させたんだ。
「これでようやく平和な暮らしが取り戻せる」と、和平に期待してたパレスチナ人たちは、和平交渉が決裂したんでガッカリして、将来に対する希望も失っちゃった。それで過激派支持に回った人も大勢いる。
パレスチナ人はアラブ諸国の中ではとっても貧しいんだけど、とっても教育に熱心なんだ。大学に進学する若者もたくさんいる。親たちは、経済的に無理をしてでも子供達に教育を受けさせようとする。親の苦労を見ながら大学に進学した若者達は、将来パレスチナが独立したら、自分たちがこの国を背負って立たなきゃいけないと思って、一生懸命勉強してた。だから優秀な学生が大勢いたんだ。
そんな若者までが将来の希望を失って自爆テロに走るようになっちゃった。女子学生までもだよ。
テロリストを作るのは貧困じゃないんだよ。絶望なんだ。将来に希望があれば貧乏だって耐えられるし、人を愛することだってできるんだ。

ガザの若者：
僕は大学で工学を学んでいます。でも、ここで勉強しても何にもなりません。仕事も未来もないんですから。
ここでは毎日のように人が殺されます。子供でも老人でも容赦なく殺されます。テロの報復だと言って、イスラエル軍は、こんな世界一の人口密集地域で、ジェット戦闘機やヘリコプターからミサイルを発射し、戦車も砲弾をブッ放すんですから。家を壊し、オリーブの木を引っこ抜き、水路を壊し、畑をメチャメチャにし……とても正気の沙汰《さた》とは思えません。ユダヤ人に対する憎しみで、血が煮えたぎります。
心を静めようとモスクに行くと、そこには過激派のメンバーがいて、こう話しかけてきます。

「この世は仮だ。天国に召されてはじめて本当の生に出会えるのだ。自爆テロを行って『シャヒード（殉教者）』になれ。そうすれば、お前は天国に召されて、永遠の生が約束され、アラーにお目通りも許される。72人の処女もお前を温かく迎えてくれるのだ。家族のことは心配するな。１万ドルの一時金が出るし、毎月の生活費もわれわれが面倒を見る」
このように説得されて、自爆テロを志願する若者が後を絶ちません。

自爆テロをした人が天国に行かれるなんて嘘っぱちだ！
イスラムでは、自殺は禁じられているし、武装してない無実の人を攻撃するのも禁じられてるんだ!!

ねこ：
宗教は人間の最善の部分を引き出すように作られてるはずだけど、時として、人間の一番邪悪な部分、「憎しみ」を引き出しちゃうニョだ。
経済が原因の戦争なら、大損をすれば戦争をやめるのだが、宗教がらみで「聖戦」となってしまうと、損をしようが、自分が滅んでしまおうが戦いをやめない。
この「自爆テロ」っていうのは、殺す方も、殺される方も、「イヌ死に」に思えて、ネコには理解できニャイよ。

9.11

2001年９月11日、ニューヨークの世界貿易センタービルと、ワシントン郊外にあるペンタゴン（米国防総省）が、イスラム過激派の、ハイジャックした旅客機を使っての自爆攻撃に襲われ、3000人以上の死者が出た。
ブッシュ（息子）米大統領は、「テロに対する戦争」を宣言、このテロを実行したイスラム過激派「アルカイダ」の拠点があり、リーダーのオサマ・ビン・ラディンを庇護するアフガニスタンを攻撃する。

テロリストやテロリスト国家がアメリカを攻撃しようとしているなら、向こうが攻撃してくる前に、こっちから攻撃するのは当たり前じゃないか。
イスラエルの場合も同じだ。シャロンのテロ対策を百パーセント支持するよ。
WANTED
$15,00
ジョージ・W・ブッシュ（息子）
米大統領
（1946～　）

アリ：
シャロンも、アメリカの「テロに対する戦争」に同調して、戦車でガザに侵攻してきたんだ。
インティファーダに対する対策がまるで戦争みたいになってきた。
自爆テロをやめさせられないアラファトに直接、攻撃の矛先が向けられ、議長府や自治政府の施設が爆撃された。戦車がヨルダン川西岸の街ラマラのＰＬＯ議長府を取り囲み、アラファトは監禁状態にされたんだ。

アラファトは
パレスチナのビン・ラディンだ！
WANTED
$5

シャロン
イスラエル首相

ねこ：
ブッシュ（息子）米大統領は、「フセイン政権は、核兵器や生物・化学兵器などの大量破壊兵器を開発し、持っていて、アルカイダと組んでアメリカを攻撃しようとしている」という疑惑だけで、2003年３月20日、イラクに対する戦争を開始するんニャ。もちろん、国連は承認しないし、フランス、ドイツなど、多くの国はこの戦争に批判的で、軍隊も派遣しなかった。
ブッシュはアメリカと、アメリカに追従する国の軍隊でイラクを制圧し、５月１日には勝利宣言をしたけれど、大量破壊兵器のかけらもいまだに見つかっていニャいし、フセインとアルカイダの関係を示す証拠もあがっていニャい。つまり、大量破壊兵器でアメリカにテロ攻撃をしかけようとする意図は持っていなかったにもかかわらず、イラクはブッシュにハイテク兵器で先制攻撃をかけられ、何万人もの罪のないイラク人が殺され、生活が破壊されたんニャ。その結果、アメリカやアメリカに追従して戦争をした国を憎むイスラム教徒が増えて、世界中でテロが行われるようになっちゃった。「テロに対する戦争」が、かえって世界にテロを蔓延《まんえん》させる結果となったんニャ。

結果が逆さまニャのだ

いいじゃないか、そんなこと。
ともかく、フセイン独裁政権は
倒れたんだから。

ニッシム：

クリントンと違って、ブッシュはパレスチナ問題にまったく無関心だったんだけれど、対イラク戦争へのアラブ諸国の支持を得るためにパレスチナ和平交渉に乗り出したんだ。

ブッシュは、ＥＵ、ロシア、国連と協力して「ロードマップ」と呼ばれる和平構想を作った。

アラファトが信用できないので、ブッシュはパレスチナ自治政府に首相のポストを作らせたんだ。その首相に就任したマフムード・アッバスとシャロン・イスラエル首相、それにブッシュの３人で、2003年６月にヨルダンのアカバで和平会談を開いた。

ねこ：
「ロードマップ」の構想は、ほとんど「オスロ合意」と同じだニャ。

第１段階（2003年５月末まで）
パレスチナ側はイスラエルの生存権を認め、テロを停止する。イスラエル側は、パレスチナを主権国と認め、ガザ地区やヨルダン川西岸から軍を撤収。入植活動を凍結する。
第２段階（2003年６月から12月まで）
パレスチナが憲法を制定、暫定的な国境線を持つ独立国家を樹立する。
第３段階（2004年から2005年）
エルサレムの主権などの問題を解決して、関係を正常化する。

だいたいこんなところだが、和平推進派のバラクが首相の時でも「オスロ合意」がうまくいかなかったんだから、タカ派のシャロン首相の下で「ロードマップ」がうまくいくわけがニャイな。

アリ：
シャロンもアッバスも、一応「ロードマップ」を受け入れたんだけど、その第１段階の「テロと報復の停止」が達成できないんだ。ブッシュの圧力でパレスチナの首相になったアッバスは、アメリカの操り人形だと思われてるのでパレスチナ人に人気がない。おまけにアラファトが、自分に集中する権力をアッバスに全然譲ろうとしないで、足を引っ張ってばかりいるんだ。ここでアッバスが成功しちゃうと、すべての国際交渉はアラファトの頭越しにアッバスがすることになって、アラファトの発言力が小さくなるもんね。
結局、過激派のテロとイスラエルの報復攻撃が以前にもまして激しくなって「ロードマップ」は破綻、アッバスも首相を辞めちゃった。

ヨルダン川西岸の壁

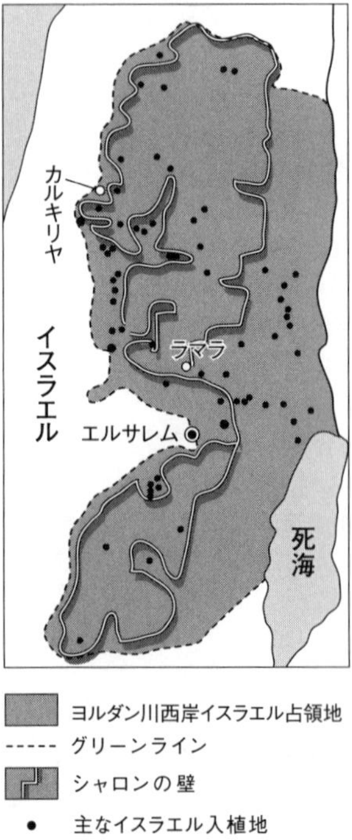

カルキリヤ
イスラエル
ラマラ
エルサレム
死海
ヨルダン川西岸イスラエル占領地
グリーンライン
シャロンの壁
主なイスラエル入植地

アリ：
テロリストをイスラエルに入り込ませないようにってシャロンはヨルダン川西岸にコンクリートの壁を造り始めた。高さが４メートルから８メートルもあって、鉄条網と監視カメラで守られてる。越えようとすると、兵隊や警官がすっ飛んで来るんだ。
どうせ壁を造るなら、「グリーンライン（イスラエルと占領地の境界線）」の上に造ればいいのに、パレスチナ側に食い込んだところに造ってるんだ。最終的には、壁の長さは680キロにもなるんだって。それで、ヨルダン川西岸の50%以上が壁の向こう側になり、イスラエルに取り込まれちゃうんだ。

ニッシム：
ヨルダン川西岸にあるユダヤ人入植地を、壁の向こう側のパレスチナ側に残しておくことはできなかったんだ。

ねこ：
2004年１月に、シャロンはガザ地区から入植地も軍隊も撤退すると発表したんニャ。ヨルダン川西岸に造ってる壁が国際世論の非難の的になってるので、ガザ地区を返還して非難を和らげようとしたニョだな。
2003年のアカバ和平会談以来、シャロンはアラファトやＰＬＯを交渉相手として認めていないから、パレスチナ側との話し合いもせずに、一方的に発表した。
それで、ハマスなんかの過激派は、自分たちのテロ活動が勝利したんだと、さらに勢いづいちゃったニョだ。
これに対しシャロンは、返還前にテロリストを壊滅させると言って、大規模な掃討作戦を開始したんニャ。
イスラエル国内でも、ガザ返還には右派や入植者たちが猛烈に反対している。
こんな大混乱の中、アラファトが重い病気でフランスの病院に入院したんニャ。
アラファトは、自分がＰＬＯのリーダーとして生き延びるために自分だけに権力を集中して、頭角を現した部下は足を引っ張って潰してきたから、ＰＬＯにはアラファトを継ぐ人材がいないのニャ。
シャロンが、名ばかりの自治を与えて、全パレスチナ人をヨルダン川西岸の壁の中に閉じこめようとしているニョに……。

カルキリヤ町長：
カルキリヤはヨルダン川西岸にあるパレスチナ人の町です。大きなふたつのイスラエル入植地に挟まれており、その入植地を守るため、この町を取り囲むかたちで壁が造られました。
町全体が高い壁に囲まれて、まるで刑務所です。
町の出入口は、イスラエル兵が警備する検問所が１ヵ所あるだけ。それも通行制限が厳しく、思うように出入りできません。
買い物客が来られなくなって、600の商店が閉店しました。
ここは野菜や果物の産地なのですが、町の外に出荷できず、どんどん腐っていきます。イスラエル側に働きに行くこともできなくなり、今この町の失業率は67%です。

アリ：
シャロンは、ユダヤ人入植地がイスラエルから分断されないことだけを考え、パレスチナ人の生活のことなんかまったく考えないで壁を造ってる。だから、壁で畑と家が二分された人、学校や職場に行けなくなった人、会えなくなった親子や、モスクに行けなくなった人が大勢いるんだ。
ぼくが住んでる、エルサレムのすぐ東のアブディス村の壁は今のところ仮の壁で、うまいことにちょっと隙間《すきま》があるんだ。その隙間を通って学校に行ってる。ここに来るのもその隙間を通って来たんだよ。

ねこ：
国際司法裁判所が「この壁は国際法違反で、人権問題だ」って言っても、シャロンは聞く耳を持たないのニャ。

アリ：
2004年11月11日、アラファトがパリの病院で死んだ。12日にラマラの議長府に遺体が帰ってくると、何万人ものパレスチナ人が広場に集まって、最後のお別れをした。
でも、ぼくは行かなかったんだ。
アラファトがPLOを連れてパレスチナに帰ってきたときは、みんな歓迎した。でも、彼が帰ってきても、何も良くならなかったんだ。アラファトは権力を独り占めにして、後継者を育てなかった。お金も独り占めにした。世界からの援助金はたくさんあったはずなのに、彼は学校も病院も作ってくれなかった。使わなかったお金は、自分の口座に入れて天国まで持って行っちゃったみたいだよ。だから誰が次のリーダーになってもアラファトよりましだろうとは思うんだ……。
だけど同時に、ぼくは怖いんだ。過激派を説得して、テロと報復の連鎖を断ち切れる人、イスラエルと交渉して、壁の建設をやめさせられる人、そんなすごい後継者が現れない限り、ぼくたちは壁の中に閉じ込められちゃうもんね。

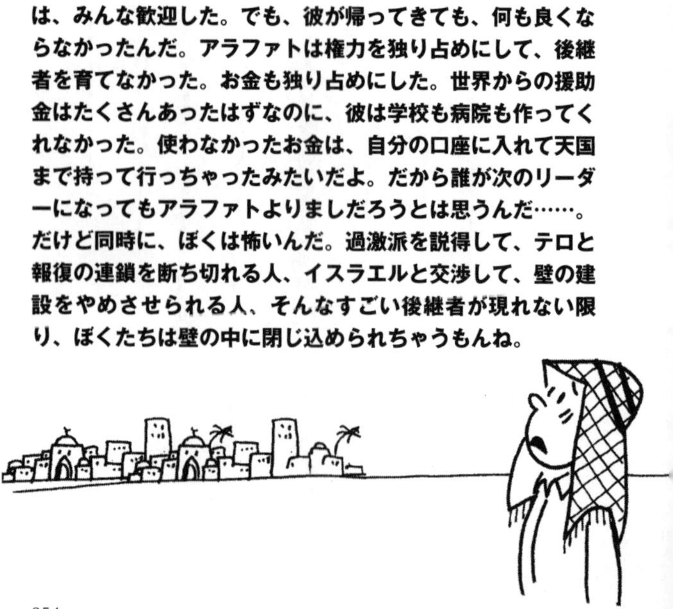

エピローグ

アリ：
このままいったら、ぼくたちパレスチナ人は、この壁の中に閉じ込められて暮らすことになる。ちょうど、君たちユダヤ人がゲットーに閉じ込められたみたいにね。

ニッシム：
…………。

アリ：
壁はイスラエルへの憎しみを大きくするだけで、何の解決にもならないよ。壁の中には、夢も、希望も、仕事もないんだもん。若者は絶望して、自暴自棄になって、どんどんテロリストになって自爆テロをやるよ。どうして、こんな当たり前のことがシャロンやイスラエルの大人にはわからないんだろう。

ニッシム：
問題はテロなんだ。暴力なんだ。
ユダヤ人は2000年もの間、民族差別を受けて、異端裁判だ、国外追放だ、ポグロムだって迫害を受け、殺され続けてきた。その暴力に対して、ユダヤ人は暴力で反撃しなかった。みんな、神がユダヤ人に与えた試練だと思って耐えてきたんだ。そのあげくがホロコーストだ。ヒトラーはユダヤ人を絶滅しようと600万人も殺した。それでも、ユダヤ人は抵抗しなかった。強制収容所へ行く汽車に乗せられ、機械的に殺されていった。
世界も助けてはくれなかった。ユダヤ人を見殺しにした。だから、イスラエルを建国したとき、ユダヤ人は誓ったんだ。
「これからは暴力に対しては暴力で反撃しよう」って。

アリ：
それでイスラエルは、ちょっとしたテロにも必ず報復攻撃してくるんだね。倍返しって感じで。
子供が石を投げただけなのに、実弾を撃ってくる。過激派のテロがあると、ガザの人口密集地域に平気で戦車で入り込んできて家を壊す。ジェット戦闘機やヘリからミサイルをぶっ放す。武装してない老人、女、子供までが巻き込まれ死ぬ。
その家族、友人が頭にきて、またテロに走る。
暴力は暴力を生むだけで、テロの防止策にはならないよ。

ニッシム：
こんなこと言うと、現実的じゃないって笑われるかもしれないけれど、国をふたつ造ったり、壁を造ったりしてユダヤ人とパレスチナ人を分離するんじゃなくて、一国で平和に共存するって解決法はないのかな。

アリ：
経済的に成り立たないような、ちっぽけな独立国をもらうより、ユダヤ人と共存する方がいいって、大勢のパレスチナ人も思ってるんだ。
もちろん、民族差別なしでだよ。

ニッシム：
でも、民族って、乗り越えられるものなのかな？

アリ：
ちょっと見て！

ニッシム：
ワオ！　君って、金髪で巻き毛だったの!!
ユダヤ人には珍しくないけど、パレスチナ人も金髪っているんだね。

アリ：
あんまりいないよ。
だから、学校じゃいつも友達に「ユダヤ人だ、ユダヤ人だ」ってはやしたてられてた。
それが嫌で、いつもカフィーヤ（ずきん）をかぶるようになったんだ。

ニッシム：
それでかぶってるのか。

アリ：
クラスメートはみんな黒い髪だし、ぼくの両親も髪は黒いんだ。
お母さんは違うって言うけれど、生まれた時、病院で看護婦さんが他の赤ちゃんと間違えたんだと思ってた。
それで、この間、その病院に勤めてる叔父さんに出産記録をこっそり調べてもらったんだ。
ニッシム、君は1989年７月31日11時30分、エルサレムの病院で生まれたんでしょ。
僕と10分違いなんだ。
その日、病院でボヤ騒ぎがあって、あわてて看護婦さんが赤ちゃんを避難させたんだって。

ニッシム：
ちょっと待ってよ。
君とぼくとがボヤ騒ぎの中で間違われたっていうの？

アリ：
たぶんね。

ニッシム：
…………。

アリ：
君の両親は金髪？

ニッシム：
お父さんは黒だけど、お母さんは金髪巻き毛だよ。
だけど、もしぼくが君の両親の子だったらどうするんだい。
ぼくの家族はぼくのことをすごーく愛してくれているし、ぼくも家族をすごーく愛してる。ぼくと君がトレードされて、君の家族とぼくが一緒に暮らすなんて絶対にやだぜ！

アリ：
ぼくもまったく同じだよ。
君や、君の家族に何かしようなんて気は、全然ないよ。
でも、ぼくの分身みたいな君に、是非とも会って、話がしたかったんだ。だから、君と友達になったのは偶然じゃなくて、この話をするために、偶然のふりして君に接近したんだ。

ニッシム：
ぼくが君で、君がぼくだった可能性が大いにあるってことを話したかったんだね。

アリ：
そう。
もし、ぼくが君の家で君の両親に育てられたとしたら、ユダヤ人の家族、親戚に囲まれて、ユダヤ人の学校で教育を受け、シナゴーグに通って完璧なユダヤ人になっちゃう。
君はぼくの家で育てられ、完璧なパレスチナ人になって、ユダヤ兵の横暴に腹を立てて、インティファーダに参加して石を投げるだろう。ぼくはやがてイスラエル軍に徴兵されて、君たちに鉄砲を撃つことになるんだ。

ニッシム：
民族意識なんて、血やＤＮＡの問題じゃなくて、教育や環境によって簡単に作られちゃうんだね。

アリ：
民族的憎しみもね。
それが、まるで歴史的事実で、人の力ではどうにもならないもののように思われてる。だから、世界のどこかで民族紛争が起きると、「つまらない民族意識なんか捨てて共存しよう」っていう解決法には向かわないで、壁を作るとか、国をふたつに分けるとか、ふたつの民族を引き離すことしか考えない。

ねこ：
うんニャ、例外はあるニョだ。
南アフリカでは長い間「アパルトヘイト」と言って、白人が黒人にヒドイ差別をして、分離してたんニャ。黒人は黒人居住区にしか住めなかった。学校、病院、公園、スーパーなんかでも、「白人専用」と書いてあれば、黒人は入れなかったニョだ。1970年代からは、黒人だけの国を造って独立させ、黒人をその国に追っ払おうとしたんニャ。
もちろん、国際社会はこんな国を認めなかった。反アパルトヘイト運動が起こり、南アフリカに色々制裁を加えた。国際社会の支援を得て、黒人の反アパルトヘイト運動も強くなった。
その中心だったのがネルソン・マンデラなのだニャ。

60年代から、マンデラたち黒人の反乱……インティファーダみたいなものだニャ……が激しくなって、統治できなくなった南アフリカ政府は、アパルトヘイト政策をやめることにするんニャ。
94年に、全人種、全民族が参加した選挙でマンデラの党が勝って、新しい憲法を持った南アフリカの初代大統領にマンデラがなったんニャ。
マンデラは27年間も監獄に入れられ、虐待されたのに、白人に対する恨みや憎しみはいっさい忘れ、他人種、他民族と意見の違いがあっても、暴力は使わずに、すべて話し合いで解決する協調路線にこだわった。それで、93年にノーベル平和賞をもらったんニャ。
民族紛争解決のポイントは、「憎しみや恨みを忘れて、テロと報復の連鎖を断ち切ること」と、「隔離や分離をしないで多民族が平和に融合した社会を目指すこと」だニャ。

差別した、されたという過去は消せないが、互いに許し合って行こう。必要なのは「融和」なのだ。

ネルソン・マンデラ
前南アフリカ大統領
(1918〜　)

参考映画：
『遠い夜明け』
1987年アメリカ
R・アッテンボロー監督

ねこ：
人種差別をする法律はなくなったけれど、南アフリカが本当に平和で差別のない国になるには、まだ何十年もかかるだろう。だけど、何十年もの時間をかける価値はあるよ。
白猫だけの国なんてつまらニャい。白猫、黒猫、三毛猫も一緒に住んでいる国の方が、楽しくてずっといいニョだ。

ニッシム：
わかった。ぼくと君でマンデラをやろう。

アリ：
何言ってるんだい。

ニッシム：
ふたりで「マンデラ」っていう、自給自足できる農場をやろう。ユダヤ人とパレスチナ人が一緒に働くんだ。ユダヤ人とパレスチナ人の子供が一緒に勉強する学校も作る。そこでは、アラビア語でもヘブライ語でもない世界語「エスペラント」を子供達に教えよう。それから、この紛争で親をなくした子供達を引き取るんだ。ぼく達とぼく達の家族が親代わり、家族代わりになるんだ。ユダヤ人とパレスチナ人、両方の家族を持った子供達は、もう憎しみ合わないだろう。
まずは、ぼくたちの２家族で始めようぜ。ぼくたちは兄弟みたいなものだもん、家族も親戚みたいなものだ。きっとうまくいくよ。
ぼくは大学に行って、経済と経営を勉強して、しっかり稼いで農場を買う資金を作るよ。
君はしっかり農業を勉強してくれ。

アリ：
ぼくのうちは農家だよ。野菜、果物作りはまかせてくれ。
ぼくがエルサレムの旧市街で売ってるんだ。

ニッシム：
自給自足するんだよ、牛を飼って牛乳を搾ったり、小麦から小麦粉を作ってパンを焼いたりもしなきゃ。色々な技術を身につけてね。
それで、今からちょうど10年後にここに来て。
ぼくは経営技術と農園を買うためのお金をたくさん持ってくるから。

アリ：
絶対に来るよ。君を信じてる。兄弟だもん。

ねこ：
おれも来るぞ。きっと子供をたくさん連れて。

アリ、ニッシム：
大歓迎だよ!!

あとがき

1991年、内戦が起こって半年後のユーゴスラビアで、国際漫画会議が開かれました。私は会議に参加した後、ユーゴスラビアを縦断しました。

当時ユーゴスラビアは、人口2300万人、「７つの国に囲まれた、６つの共和国、５つの民族と、４つの言語、３つの宗教、２つの文字を持つ１つの国」というのが売り物の、複雑な国でした。

私が訪れたときは、「自分はユーゴスラビア人だ」という人はたった５％しかいませんでした。

アジテーターに各民族意識がかき立てられた結果、「ユーゴスラビア人」という国民意識が崩壊したのです。内戦が始まり、民族浄化という殺し合いが始まりました。民族を意識しなかったときは、友人や夫婦でいられた人たちが、民族意識が高まるにつれ、憎しみ合い、果ては殺し合いました。

この旅を通して私は次の３つのことを考えました。

①民族および民族意識はその時の政治の都合により、人工的につくられるものだ。

②民族は命をかけて戦い、護《まも》るほど確固たる概念でもないし、崇高なものでもない。

③今後民族主義は国際的に広がり、人類にとってはガンになるだろう。私は反民族主義の漫画を描き続け、この流れに抵抗しよう。

というものでした。

あれから十数年。世界各地で民族主義は過激なテロリスト・グループと結び、国際的な大規模テロを起こしています。

この民族主義とテロを結びつける、いちばん大きな病根がパレスチナにあり、これを理解し、克服しないかぎり、ほかの民族紛争も解決の糸口を見つけることはできません。

この複雑で長い紛争を、なるべくわかりやすいように、やさしく、ていねいに解説して、少しでも理解していただければと思い、この本を書きました。

世界中に民族は約3000、言語は約5000あると言われています。でも国の数は200しかありません。どう考えても、各民族の自決、分離独立は不可能です。人種、民族の壁を越えて平和に共存する方法を一緒に考えてみたいと思うのです。

２年半前にこの本を書き始め、多くの人に支えられてやっと完成させることができました。皆さんに感謝します。

とくに途中の原稿を読み、感想を言ってくれた友人、家族には貴重な時間をさいてもらい、申し訳なく思っています。お陰様で、よい方向に手直しすることができました。感謝します。

また２年間もこの本の完成、出版にご尽力くださった講談社の田中浩史さん、田中さんを紹介していただいた友人の丸谷馨さんにも、感謝します。

最後になりましたが、名前を貸してくれたニッシムとアリ。イスラエル取材を助けてくれたミシェル、ユリ、エロール、レザン。ユダヤ人に関するどんな微妙な質問でも、快く迅速に答えてくれたイゼル、イスラム教に関してはタン……。すべての外国の友人にも感謝します。

2004年12月

山井教雄

本書関連略年表

BC13 世紀	モーゼのエジプト脱出
1000 ごろ	ダビデ王国成立、エルサレムを首都とする
960 ごろ	ソロモン王、エルサレムに神殿を建てる
928 ごろ	ダビデ王国、イスラエル王国とユダ王国に分裂
721	アッシリアによりイスラエル王国滅亡
586	新バビロニアによりユダ王国滅亡、バビロン捕囚
538	ペルシャのキュロス王、バビロン捕囚を解除
334	アレキサンダー大王、東征に出発
305	プトレマイオス朝エジプト成立
BC 6 ごろ	イエス・キリスト誕生
AD30	イエス・キリスト処刑される
66	ユダヤ戦争始まる
132	バル・コホバ蜂起
313	ローマ帝国皇帝コンスタンティヌス、キリスト教を公認
392	ローマ帝国でキリスト教が国教に
610	モハメッド、神の啓示を受ける
638	アラブ軍カリフ・オマール、エルサレム征服
661	ウマイヤ朝成立
756	後期ウマイヤ朝成立
1099	第1回十字軍、エルサレム占領、エルサレム王国創設
1187	サラディン、エルサレムを奪回
1492	スペインでレコンキスタ完成 ユダヤ人はスペインから追放される コロンブス、アメリカ大陸に達する
1549	ザビエル来日
1587	豊臣秀吉によるキリスト教禁止令
1641	徳川幕府による鎖国令
1789	フランス革命
1881	ロシアで皇帝アレクサンドル2世暗殺事件が起こり、ポグロム発生
1882	在ロシアのユダヤ人の第1回パレスチナ入植

1894	フランスでドレフュス事件
1897	ヘルツルによる第１回シオニスト会議
1914	第１次世界大戦始まる
1915	フセインーマクマホン書簡
1916	サイクス・ピコ協定
	ロレンスに率いられたアラブ人の、オスマン・トルコに対する反乱
1917	バルフォア宣言
1919	パリ講和会議
1920	第１次大戦戦勝国によるサン・レモ会議で、イギリスのパレスチナ委任統治が認められる
	イギリス、ユダヤ人のパレスチナへの無制限移民を認める
1922	パレスチナで、イギリスの委任統治開始
1933	ドイツでナチス政権奪取
1937	ピール委員会、パレスチナ分割を勧告するとともに、ユダヤ人のパレスチナへの移民を制限し始める
1939	マクドナルド白書
	第２次世界大戦始まる
	ナチスによるホロコースト
1945	第２次世界大戦終わる
1947	国連総会でパレスチナ分割決議案を採択
1948	イスラエル建国宣言
	イギリスのパレスチナ委任統治終わる
	第１次中東戦争
1952	エジプトでナセルら自由将校団のクーデター
1956	エジプト、スエズ運河の国有化を宣言
	第２次中東戦争
1964	ＰＬＯ結成
1967	第３次中東戦争
1970	ヨルダン内戦
	ナセル大統領死亡、後継者にサダト
1971	ヨルダンからパレスチナゲリラ追放される
1973	第４次中東戦争

	ＯＰＥＣ石油戦略発動
1975	レバノン内戦始まる
1978	キャンプ・デービッド合意
1979	エジプト・イスラエル平和条約調印
	イランでイスラム革命
	ソ連、アフガニスタン内戦に介入
1980	イラン・イラク戦争始まる
1981	サダト大統領暗殺
1982	ＰＬＯ、レバノンからチュニジアへ撤退
1987	第１次インティファーダ始まる
1988	イラン・イラク戦争終わる
	アラファトＰＬＯ議長、国連での演説でイスラエルの生存権を認める
1990	イラクのクウェート侵攻
1991	湾岸戦争
	ソ連解体
	スペインのマドリッドで中東和平会議
1993	オスロ合意
1994	アラファト、チュニスからガザへ帰る
1995	ラビン・イスラエル首相暗殺
2000	第２次インティファーダ始まる
2001	アルカイダによる9.11同時多発テロ
2003	イラク戦争
	ヨルダンのアカバで和平会談
2004	アラファト死去

索引

一般項目

●ア行

●カ行

●サ行

人名

地名

講談社現代新書　1769

まんが パレスチナ問《もん》題《だい》

2005年1月20日第1刷発行　2024年1月5日第32刷発行

著　者　山《やま》井《のい》教《のり》雄《お》　

発行者　森田浩章

発行所　株式会社講談社

東京都文京区音羽二丁目12-21　郵便番号112-8001

電　話　03-5395-3521 編集（現代新書）

03-5395-4415 販売

03-5395-3615 業務

装幀者　中島英樹

印刷所　株式会社ＫＰＳプロダクツ

製本所　株式会社国宝社

本文データ制作　講談社デジタル製作

定価はカバーに表示してあります　Printed in Japan

N.D.C.227　275p　18cm
ISBN4-06-149769-3

「講談社現代新書」の刊行にあたって

教養は万人が身をもって養い創造すべきものであって、一部の専門家の占有物として、ただ一方的に人々の手もとに配布され伝達されうるものではありません。

しかし、不幸にしてわが国の現状では、教養の重要な養いとなるべき書物は、ほとんど講壇からの天下りや単なる解説に終始し、知識技術を真剣に希求する青少年・学生・一般民衆の根本的な疑問や興味は、けっして十分に答えられ、解きほぐされ、手引きされることがありません。万人の内奥から発した真正の教養への芽ばえが、こうして放置され、むなしく滅びさる運命にゆだねられているのです。

このことは、中・高校だけで教育をおわる人々の成長をはばんでいるだけでなく、大学に進んだり、インテリと目されたりする人々の精神力の健康さえもむしばみ、わが国の文化の実質をまことに脆弱なものにしています。単なる博識以上の根強い思索力・判断力、および確かな技術にささえられた教養を必要とする日本の将来にとって、これは真剣に憂慮されなければならない事態であるといわなければなりません。

わたしたちの「講談社現代新書」は、この事態の克服を意図して計画されたものです。これによってわたしたちは、講壇からの天下りでもなく、単なる解説書でもない、もっぱら万人の魂に生ずる初発的かつ根本的な問題をとらえ、掘り起こし、手引きし、しかも最新の知識への展望を万人に確立させる書物を、新しく世の中に送り出したいと念願しています。

わたしたちは、創業以来民衆を対象とする啓蒙の仕事に専心してきた講談社にとって、これこそもっともふさわしい課題であり、伝統ある出版社としての義務でもあると考えているのです。

一九六四年四月　野間省一

哲学・思想Ⅰ

66 哲学のすすめ――岩崎武雄
159 弁証法はどういう科学か 三浦つとむ
501 ニーチェとの対話――西尾幹二
871 言葉と無意識――丸山圭三郎
898 はじめての構造主義 橋爪大三郎
916 哲学入門一歩前――廣松渉
921 現代思想を読む事典 今村仁司 編
977 哲学の歴史――新田義弘
989 ミシェル・フーコー 内田隆三
1001 今こそマルクスを読み返す 廣松渉
1286 哲学の謎――野矢茂樹
1293 「時間」を哲学する――中島義道

1315 じぶん・この不思議な存在――鷲田清一
1357 新しいヘーゲル――長谷川宏
1383 カントの人間学――中島義道
1401 これがニーチェだ――永井均
1420 無限論の教室――野矢茂樹
1466 ゲーデルの哲学――高橋昌一郎
1575 動物化するポストモダン 東浩紀
1582 ロボットの心――柴田正良
1600 ハイデガー＝存在神秘の哲学――古東哲明
1635 これが現象学だ――谷徹
1638 時間は実在するか 入不二基義
1675 ウィトゲンシュタインはこう考えた 鬼界彰夫
1783 スピノザの世界――上野修

1839 読む哲学事典――田島正樹
1948 理性の限界――高橋昌一郎
1957 リアルのゆくえ 大塚英志 東浩紀
1996 今こそアーレントを読み直す――仲正昌樹
2004 はじめての言語ゲーム――橋爪大三郎
2048 知性の限界――高橋昌一郎
2050 超解読！ はじめてのヘーゲル『精神現象学』 竹田青嗣 西研
2084 はじめての政治哲学 小川仁志
2099 超解読！ はじめてのカント『純粋理性批判』 竹田青嗣
2153 感性の限界――高橋昌一郎
2169 超解読！ はじめてのフッサール『現象学の理念』――竹田青嗣
2185 死別の悲しみに向き合う――坂口幸弘
2279 マックス・ウェーバーを読む――仲正昌樹

哲学・思想Ⅱ

13 論語――貝塚茂樹
285 正しく考えるために 岩崎武雄
324 美について――今道友信
1007 日本の風景・西欧の景観――オギュスタン・ベルク 篠田勝英 訳
1123 はじめてのインド哲学 立川武蔵
1150 「欲望」と資本主義――佐伯啓思
1163 「孫子」を読む――浅野裕一
1247 メタファー思考――瀬戸賢一
1248 20世紀言語学入門 加賀野井秀一
1278 ラカンの精神分析――新宮一成
1358 「教養」とは何か――阿部謹也
1436 古事記と日本書紀 神野志隆光

1439 〈意識〉とは何だろうか 下條信輔
1542 自由はどこまで可能か 森村進
1544 倫理という力――前田英樹
1560 神道の逆襲――菅野覚明
1741 武士道の逆襲――菅野覚明
1749 自由とは何か――佐伯啓思
1763 ソシュールと言語学――町田健
1849 系統樹思考の世界――三中信宏
1867 現代建築に関する16章 五十嵐太郎
2009 ニッポンの思想――佐々木敦
2014 分類思考の世界――三中信宏
2093 ウェブ×ソーシャル×アメリカ 池田純一
2114 いつだって大変な時代――堀井憲一郎

2134 いまを生きるための思想キーワード――仲正昌樹
2155 独立国家のつくりかた 坂口恭平
2167 新しい左翼入門――松尾匡
2168 社会を変えるには――小熊英二
2172 私とは何か――平野啓一郎
2177 わかりあえないことから 平田オリザ
2179 アメリカを動かす思想 小川仁志
2216 まんが 哲学入門――森岡正博 寺田にゃんこふ
2254 教育の力――苫野一徳
2274 現実脱出論――坂口恭平
2290 闘うための哲学書――小川仁志 萱野稔人
2341 ハイデガー哲学入門 仲正昌樹
2437 ハイデガー『存在と時間』入門――轟孝夫

宗教

27 禅のすすめ――佐藤幸治
135 日蓮――久保田正文
217 道元入門――秋月龍珉
606 「般若心経」を読む――紀野一義
667 生命《いのち》あるすべてのものに　マザー・テレサ
698 神と仏――山折哲雄
997 空と無我――定方晟
1210 イスラームとは何か――小杉泰
1469 ヒンドゥー教　クシティ・モーハン・セーン　中川正生 訳
1609 一神教の誕生――加藤隆
1755 仏教発見！――西山厚
1988 入門　哲学としての仏教　竹村牧男
2100 ふしぎなキリスト教――橋爪大三郎　大澤真幸
2146 世界の陰謀論を読み解く――辻隆太朗
2159 古代オリエントの宗教　青木健
2220 仏教の真実――田上太秀
2241 科学vs.キリスト教――岡崎勝世
2293 善の根拠――南直哉
2333 輪廻転生――竹倉史人
2337 『臨済録』を読む――有馬頼底
2368 「日本人の神」入門――島田裕巳

Ⓒ

政治・社会

1145 冤罪はこうして作られる　小田中聰樹
1201 情報操作のトリック　川上和久
1488 日本の公安警察——青木理
1540 戦争を記憶する——藤原帰一
1742 教育と国家——高橋哲哉
1965 創価学会の研究——玉野和志
1977 天皇陛下の全仕事——山本雅人
1978 思考停止社会——郷原信郎
1985 日米同盟の正体——孫崎享
2068 財政危機と社会保障——鈴木亘
2073 リスクに背を向ける日本人　山岸俊男／メアリー・C・ブリントン
2079 認知症と長寿社会——信濃毎日新聞取材班

2115 国力とは何か——中野剛志
2117 未曾有と想定外——畑村洋太郎
2123 中国社会の見えない掟　加藤隆則
2130 ケインズとハイエク　松原隆一郎
2135 弱者の居場所がない社会　阿部彩
2138 超高齢社会の基礎知識　鈴木隆雄
2152 鉄道と国家——小牟田哲彦
2183 死刑と正義——森炎
2186 民法はおもしろい——池田真朗
2197 「反日」中国の真実——加藤隆則
2203 ビッグデータの覇者たち——海部美知
2246 愛と暴力の戦後とその後——赤坂真理
2247 国際メディア情報戦——高木徹

2294 安倍官邸の正体——田﨑史郎
2295 福島第一原発事故 7つの謎　NHKスペシャル『メルトダウン』取材班
2297 ニッポンの裁判——瀬木比呂志
2352 警察捜査の正体——原田宏二
2358 貧困世代——藤田孝典
2363 下り坂をそろそろと下る　平田オリザ
2387 憲法という希望——木村草太
2397 老いる家 崩れる街　野澤千絵
2413 アメリカ帝国の終焉　進藤榮一
2431 未来の年表——河合雅司
2436 縮小ニッポンの衝撃　NHKスペシャル取材班
2439 知ってはいけない——矢部宏治
2455 保守の真髄——西部邁

経済・ビジネス

350 経済学はむずかしくない〈第2版〉——都留重人
1596 失敗を生かす仕事術 畑村洋太郎
1624 企業を高めるブランド戦略——田中洋
1641 ゼロからわかる経済の基本——野口旭
1656 コーチングの技術——菅原裕子
1926 不機嫌な職場——高橋克徳 河合太介 永田稔 渡部幹
1992 経済成長という病——平川克美
1997 日本の雇用——大久保幸夫
2010 日本銀行は信用できるか 岩田規久男
2016 職場は感情で変わる 高橋克徳
2036 決算書はここだけ読め！——前川修満
2064 決算書はここだけ読め！キャッシュ・フロー計算書編 前川修満
2125 ビジネスマンのための「行動観察」入門 松波晴人
2148 経済成長神話の終わり アンドリュー・J・サター 中村起子 訳
2171 経済学の犯罪——佐伯啓思
2178 経済学の思考法——小島寛之
2218 会社を変える分析の力 河本薫
2229 ビジネスをつくる仕事 小林敬幸
2235 20代のための「キャリア」と「仕事」入門——塩野誠
2236 部長の資格——米田巖
2240 会社を変える会議の力 杉野幹人
2242 孤独な日銀——白川浩道
2261 変わった世界 変わらない日本——野口悠紀雄
2267 「失敗」の経済政策史 川北隆雄
2300 世界に冠たる中小企業 黒崎誠
2303 「タレント」の時代——酒井崇男
2307 ＡＩの衝撃——小林雅一
2324 〈税金逃れ〉の衝撃 深見浩一郎
2334 介護ビジネスの罠——長岡美代
2350 仕事の技法——田坂広志
2362 トヨタの強さの秘密 酒井崇男
2371 捨てられる銀行——橋本卓典
2412 楽しく学べる「知財」入門——稲穂健市
2416 日本経済入門——野口悠紀雄
2422 捨てられる銀行2 非産運用——橋本卓典
2423 勇敢な日本経済論——高橋洋一 ぐっちーさん
2425 真説・企業論——中野剛志
2426 東芝解体 電機メーカーが消える日 大西康之

世界の言語・文化・地理

F

世界史Ⅱ

日本史Ⅰ

1258 身分差別社会の真実──斎藤洋一 大石慎三郎
1265 七三一部隊──常石敬一
1292 日光東照宮の謎──高藤晴俊
1322 藤原氏千年──朧谷寿
1379 白村江──遠山美都男
1394 参勤交代──山本博文
1414 謎とき日本近現代史 野島博之
1599 戦争の日本近現代史 加藤陽子
1648 天皇と日本の起源 遠山美都男
1680 鉄道ひとつばなし──原武史
1702 日本史の考え方──石川晶康
1707 参謀本部と陸軍大学校 黒野耐

1797 「特攻」と日本人──保阪正康
1885 鉄道ひとつばなし2──原武史
1900 日中戦争──小林英夫
1918 日本人はなぜキツネにだまされなくなったのか 内山節
1924 東京裁判──日暮吉延
1931 幕臣たちの明治維新 安藤優一郎
1971 歴史と外交──東郷和彦
1982 皇軍兵士の日常生活 一ノ瀬俊也
2031 明治維新 1858-1881 坂野潤治 大野健一
2040 中世を道から読む──齋藤慎一
2089 占いと中世人──菅原正子
2095 鉄道ひとつばなし3──原武史
2098 戦前昭和の社会 1926-1945──井上寿一

2106 戦国誕生──渡邊大門
2109 「神道」の虚像と実像 井上寛司
2152 鉄道と国家──小牟田哲彦
2154 邪馬台国をとらえなおす──大塚初重
2190 戦前日本の安全保障──川田稔
2192 江戸の小判ゲーム──山室恭子
2196 藤原道長の日常生活 倉本一宏
2202 西郷隆盛と明治維新 坂野潤治
2248 城を攻める 城を守る──伊東潤
2272 昭和陸軍全史1──川田稔
2278 織田信長〈天下人〉の実像 金子拓
2284 ヌードと愛国──池川玲子
2299 日本海軍と政治──手嶋泰伸

Ⓖ

日本語・日本文化

P